Pott — Wald und Forst

BLV Naturführer

Wald und Forst

Pflanzen und Tiere
nach Farbfotos bestimmen

Dr. Eckart Pott

24/11. 92

VERLEGT BEI
KAISER

Bildnachweis:

Altmann 37 ul; Angermayer: 73 u, 101 o; BLV-Archiv: 47 ur, 49 ul; Danegger: 89 o, 91 u, 93 o, 93 ul, 93 ur, 95, 97 o, 103 ol, 113 or, 115 u, 125 o; Daudt: 69 u, 73 o; Diedrich: 103 or, 111 u; Eisenreich: 47 ur, 49 ul, 77 ul, 77 or, 81 o; Elfner/Angermayer: 85 u, 121 o; Gerhardt: 59 ol; Harz: 65 ur, 71 u, 83 o; Köster/Angermayer: 59 u; Limbrunner: 87 o, 89 u, 97 u, 99 u, 105 ol; Löhr: 65 ul, 75 o, 115 or; Pforr: 63 u, 85 o, 103 u; Quedens: 61 or, 101 ur, 105 or, 107 o, 107 u, 109 u, 113 ol; Reinhard: 35 o, 37 or, 45 or, 55 u, 61 ol, 61 ul, 61 ur, 85 o, 91 o, 99 o, 105 u, 111 o, 115 ol, 119 ol, 119 u, 121 u; Reinhard/Angermayer: 117, 119 or; Rohdich: 67 ul; Sauer: 65 ol, 67 o, 67 ur, 71 o, 75 u, 83 ul, 83 ur, 85 u; Seidl: 55 o; Willner: 81 u; Ziesler: 57 ur
Foto S. 2: Angermayer
Alle anderen Aufnahmen sowie das Titelbild stammen vom Autor.
Zeichnungen: Hellmut Hoffmann

Berechtigte Ausgabe für den Neuen Kaiser Verlag — Buch und Welt, Hans Kaiser, Klagenfurt

Satz: IBV Lichtsatz KG, Berlin
Druck: Dareb-Druck, St. Veit/Glan
Bindearbeit: Kaiser, Klagenfurt

Einleitung

Wald und Forst – Klärung von Begriffen

Es ist nicht ganz einfach, die Begriffe »Wald« und »Forst« eindeutig zu definieren, denn man kann von verschiedenen Gesichtspunkten aus einen Wald oder Forst betrachten. Man kann juristische, wald- und forstwirtschaftliche Definitionen finden, aber auch biologisch-pflanzensoziologische. Ausgehend von letzterem Aspekt kann man einen **Wald** allgemein als »eine durch einen charakteristischen, mehr oder weniger geschlossenen Baumbestand, der mindestens etwa 8 m Höhe erreicht, gekennzeichnete Lebensgemeinschaft von Pflanzen und Tieren« definieren. – Stellt sich nun die Frage, wie »Wald« und »Forst« gegeneinander abzugrenzen sind. Die Übergänge sind hier fließend, so daß man sinnvollerweise »Urwald« und »Forst« als stärkste Gegensätze betrachtet. Unter **Urwald** versteht man »einen unberührten Wald, der also vom Menschen nicht genutzt und in den auch in anderer Weise nicht eingegriffen wird«. Als **Forst** kann man dann »einen unter forstwirtschaftlichen Gesichtspunkten regelrecht bewirtschafteten, fest abgegrenzten Wald« bezeichnen. Aus diesen Begriffserklärungen wird schon deutlich, daß wir in Mitteleuropa kaum noch Urwälder, dagegen meist mehr oder weniger stark vom Menschen genutzte und gestaltete Forsten vorfinden.

Europa – ein Waldland

Diese Überschrift scheint auf den ersten Blick kaum berechtigt zu sein, denn das Bild der heutigen europäischen Landschaft wird durchaus nicht überall von Wäldern geprägt. Aber die heutige Landschaft ist auch nicht mehr unberührt, vielmehr seit Jahrhunderten vom Menschen genutzt, ausgebeutet, ruiniert, gestaltet und kultiviert. Die Verteilung der waldbestandenen Flächen im heutigen Europa ist also durch die Aktivität des Menschen verursacht. Von den klimatischen Bedingungen her – relativ milde Temperaturen und ausreichend hohe Niederschläge – ist Europa aber ein Waldland. Man sagt, der Wald ist die **potentiell natürliche Vegetation** unserer Breiten. Mit anderen Worten: Ohne den Einfluß des Menschen wären die meisten Gegenden und Landstriche in Europa mit Wäldern unterschiedlicher Typen bestanden.
Will man das heutige Bild der europäischen Landschaft verstehen, ist es nötig, bis zur Eiszeit zurückzublicken. Vor der durch Klimaverschlechte-

rungen bewirkten Eiszeit herrschte in Mitteleuropa eine Vegetation vor, die sich aus Palmen, Baumfarnen, Magnolien, Lorbeer und anderen Gewächsen zusammensetzte, wie wir sie heute in den Subtropen finden. Mit dem Einbruch der Eiszeit starb diese Flora aus, da die in West-Ost-Richtung verlaufenden, vergletscherten Gebirge ein Ausweichen nach Süden verhinderten. In Nordamerika verlaufen die Gebirge in Nord-Süd-Richtung; daher hat diese Flora dort vor dem sich ausdehnenden Eis nach Süden ausweichen und sich erhalten können.

Die relativ einheitliche, sogenannte **arkto-tertiäre Flora** verarmte also während der Eiszeit mehr und mehr, in Europa stärker als in Nordamerika. Mitteleuropa war während der letzten Eiszeit nahezu waldlos. Es herrschten artenarme Wasserpflanzengesellschaften, Seggenmoore, Zwergstrauchgesellschaften und Moostundren vor. Als es nach und nach wärmer wurde, das Eis langsam in Richtung Norden zurückging, breiteten sich Wälder – und andere anspruchsvolle Pflanzengesellschaften – wieder stärker nach Norden aus und eroberten die bisher waldfreien Standorte zurück. Von etwa 10000 v. Chr. an dominierten

Zusammensetzung des Waldes um 1300 n. Chr. Nach K. Dylla/G. Krätzner (1977).

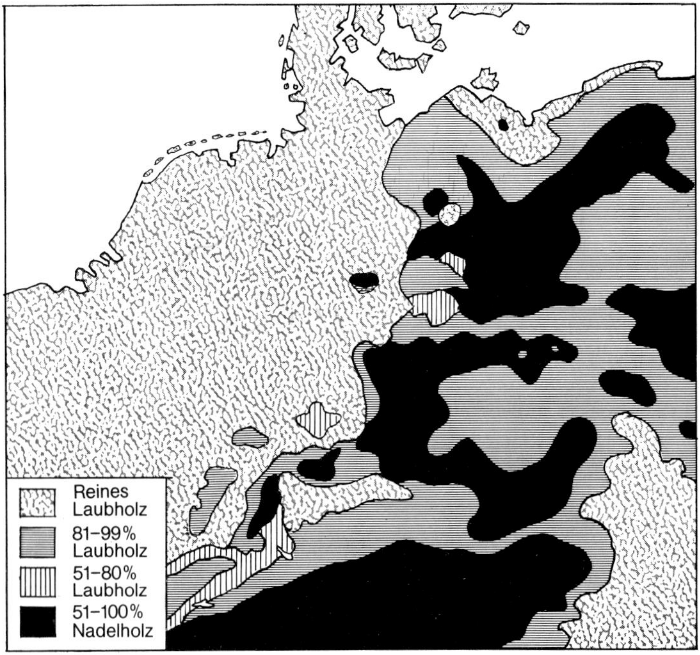

nacheinander verschiedene Waldgesellschaften, die jeweils von Baumarten verschiedener Klimaansprüche geprägt wurden. Mit der ausgehenden sogenannten **Tundrenzeit** breiteten sich Birken- und Kiefernwälder aus. Diese Zeit nennt man denn auch **Birken-Kiefern-Zeit.** Das Bild des Waldes glich damals etwa dem, das wir heute in Lappland finden. Mit dem weiteren Abschmelzen der Eismassen wurde es wärmer, und besonders der Haselstrauch prägt das Vegetationsbild. Man nennt diese Zeit deshalb **Haselzeit.** Eichen, Ulmen, Linden, Ahornarten und Eschen, dann auch Erlen und Kiefern, drängten nach, und die bisher vorherrschenden Birken-Kiefern-Wälder wurden nach Norden abgedrängt. In der darauffolgenden **Eichen-Mischwald-Zeit** setzten sich Eichenarten durch. Kiefern fanden sich – ähnlich wie heute – nur noch auf armen Sandböden. In sumpfigen Niederungen bildeten sich Erlen-Bruchwälder aus. In den Mittel- und Hochgebirgen setzte sich die Fichte durch. Schließlich kam es zu einer Ausdehnung der Verbreitung von Buche, Hainbuche und Tanne. Die **Buchenzeit** setzte ein. Eichenwälder wurden verdrängt. Die genannten Arten drangen auch in die Gebirgs-

Zusammensetzung des Waldes um 1900. Nach K. Dylla/G. Krätzner (1977).

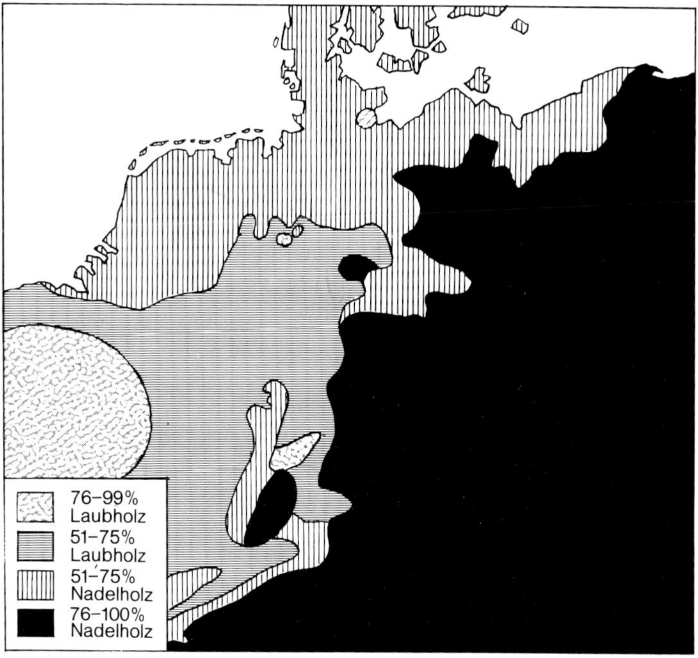

wälder ein, so daß sich nach und nach ein Bild zusammensetzte, das so aussah: In niedrigeren Lagen herrschten Buchenwälder vor, die nach Osten hin von Hainbuchenwäldern ersetzt wurden; in Gebirgslagen finden wir Mischwälder aus Buche, Tanne und Fichte. – Dies ist in groben Zügen die Vegetation, die der Mensch nun umwandelte, zunächst nur stellenweise und nicht sehr intensiv, dann – durch den Einsatz von Maschinen – immer schneller, großflächiger und brutaler. Heute finden wir also große entwaldete Gebiete, nicht nur im mittleren, sondern vor allem auch im südlichen Europa. Und die waldbestandenen Gebiete sind von der Artenzusammensetzung, der Wuchsform und verschiedenen anderen Komponenten her durch die Aktivitäten des Menschen geprägt. Allerdings gibt es auch Standorte, die als von Natur aus waldfrei anzusehen sind: Trockengebiete, Moore und Gebiete mit zu kurzer Vegetationsperiode, wie die Hochgebirge und der hohe Norden!

Die Rolle des Menschen

Eine Großgliederung der Vegetation Europa läßt sich relativ leicht vornehmen. Mitteleuropa, das südliche Nordeuropa und das nördliche Südeuropa werden bestimmt durch **sommergrüne Laubwälder,** die Hochgebirge und weite Teile Skandinaviens durch **immergrüne Nadelwälder.** Im Mittelmeergebiet finden wir **Hartlaubgehölze** und in den höchsten Lagen der Hochgebirge und im nördlichen Skandinavien **Tundra** oder eine **tundrenähnliche Vegetation.**

Betrachten wir jetzt nur Mitteleuropa. Aus den Karten (S. 6 und S. 7) wird deutlich, wie sich die Zusammensetzung der Wälder seit dem Mittelalter verändert hat.

Es zeigt sich, daß der Anteil der Laubbäume zurückging und der Anteil der Nadelbäume stark zugenommen hat. Dies ist im wesentlichen darauf zurückzuführen, daß vor allem die Fichte verstärkt angepflanzt wurde. Als relativ anspruchsloser, schnellwüchsiger Baum erbrachte sie rasch hohen Ertrag. Allerdings – und darauf wird noch die Sprache kommen – wurden Fichten fast immer in Form von Monokulturen angepflanzt, und das hat eine Fülle ökologischer Konsequenzen (Monokultur bedeutet: Es wird nur eine Pflanzenart in geschlossenem Bestand angepflanzt.)

Heute werden neben dem Holzertrag auch andere Funktionen des Waldes wichtiger; daher gehen die Förster dazu über, wieder mehr Mischwald anzupflanzen. Die Artenzusammensetzung der Wälder wird sich also langfristig – vom Menschen gelenkt – wieder verändern.

Ökologie des Waldes

In einem naturnahen Mischwald bildet sich typischerweise ein **stockwerkartiger Aufbau** der Vegetation heraus. Zuunterst können wir eine **Boden-** oder **Moosschicht** abgrenzen. Eine Schicht aus Fallaub, abgestorbenen Pflanzen und Tierresten liegt dem Boden auf. In dieser Schicht und den oberen Zentimetern des darunter liegenden Oberbodens leben unzählige kleine und kleinste Bodenbewohner. Dazu gehören Bakterien, Pilze, Algen, Springschwänze, Milben und viele andere Organismen. Insgesamt zersetzen sie die organische Substanz, bauen sie um und führen die bei ihrer Tätigkeit entstehenden mineralischen Nährstoffe dem Boden wieder zu, so daß diese den Pflanzen erneut zur Verfügung stehen. Stellenweise ist der Boden mit Flechten und Moosen überwachsen. Die Moose haben eine besonders wichtige Funktion: Sie nehmen über die Blättchen Wasser auf und geben es nach und nach wieder an die Umgebung ab. Dadurch kommt es zu einer relativ ausgeglichenen Feuchtigkeit in der gesamten Bodenschicht und im Wald überhaupt. Die Bodenschicht wirkt also wie ein großer Wasserspeicher.
Am Waldboden wachsen auch eine Vielzahl von verschiedenen krautigen Pflanzen, die in ihrer Gesamtheit als **Krautschicht** bezeichnet werden. Im Frühling wachsen hier zunächst die Frühblüher, wie das Buschwindröschen, das Leberblümchen oder die Schlüsselblume (s. die entsprechenden Artbeschreibungen). Ist das Laub der Waldbäume entfaltet, ändern sich die Strahlungsverhältnisse ganz drastisch; es steht den krautig wachsenden Bodenpflanzen nur noch ein geringer Bruchteil der gesamten einfallenden Strahlung zur Verfügung. Daher sterben viele dieser Arten gegen den Frühsommer und Sommer hin ab. Neben den Frühblühern kommen am Waldboden aber noch Pflanzenarten vor, die an die relative Lichtarmut angepaßt sind.
Die dritte Schicht wird durch die zwischen den Bäumen wachsenden Sträucher gebildet. Zwergsträucher wie die Heidelbeere und die Preiselbeere bilden den Übergang von der Kraut- zur **Strauchschicht.** Dann kommen aber auch höher wachsende Sträucher in Betracht, und man rechnet in diese Schicht auch die jungen Bäume hinein.
Über die Strauchschicht erhebt sich die **Baumschicht.** Hier bilden die Kronen der verschiedenen Baumarten ein mehr oder weniger geschlossenes Dach. Auch in dieser Schicht herrschen besondere Bedingungen, wie in den anderen beschriebenen Schichten oder Stockwerken auch. Einmal konkurrieren die Bäume untereinander um Licht. Dann prägen sie aber vor allem die ökologischen Bedingungen in den darunter liegenden Stockwerken. Durch die Dichte des Baumbestandes wird das Strahlungsklima im Innern der Bestände bestimmt. Starke Nieder-

schläge werden in den Baumkronen gebremst und das Regenwasser langsam nach unten abgeleitet. Und schließlich liefern die Bäume große Mengen an Fallaub, das zu Boden fällt und in der Bodenschicht wieder abgebaut wird. – Es deutet sich hier also ein **Stoffkreislauf** an, der natürlich insgesamt viel komplizierter ist als hier geschildert.

In einem solchen beschriebenen Mischwald mit verschiedenen Stockwerken finden eine Fülle von Organismen zusagende Lebensbedingungen. Das liegt zunächst daran, daß der gesamte Lebensraum gut strukturiert ist, daß – wie die Ökologen sagen – viele **ökologische Nischen** vorhanden sind. Es steht ein reichhaltiges Angebot an verschiedenartigen Wohn- und Aufenthaltsräumen, an Verstecken, an Nahrung und Ernährungsmöglichkeiten zur Verfügung. Daher sind solche Mischwälder auch reich an tierischen Besiedlern. Denkt man einmal an die Vögel, so finden etwa Waldlaubsänger oder Rotkehlchen als Bodenbrüter Möglichkeiten genug, ihre Nester gut versteckt am Boden anzulegen.

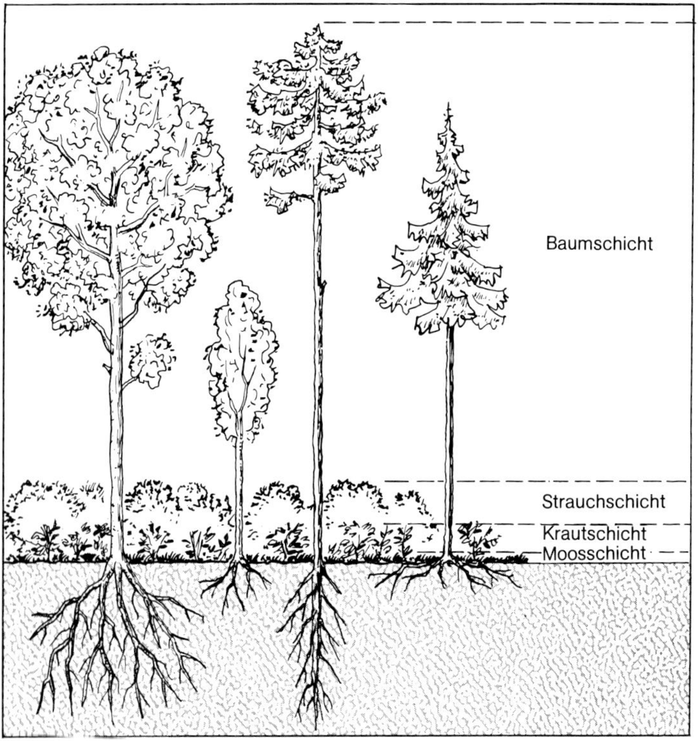

Amsel und Singdrossel brüten halbhoch und legen ihre Nester frei auf Zweigen und Ästen an; im Mischwald finden sie für ihre Nester genügend geeignete Plätze. In die Stämme der Bäume können Spechte ihre Höhlen zimmern und dort brüten. Die verlassenen Spechthöhlen wiederum werden von anderen Höhlenbrütern, die keine eigenen Höhlen bauen können, genutzt. Hierzu gehören Meisen, Kleiber, Stare und Hohltauben. Die Kronen vor allem der Laubbäume bieten Greifvögeln wie Mäusebussard und Habicht Platz zur Anlage ihrer Horste. – An diesen Beispielen zeigt sich schon, daß wir im Mischwald mit einer reichen Avifauna rechnen können. Parallelen kann man aufzeigen, wenn man die Ernährung der Vögel betrachtet. Einige Arten suchen am Boden Nahrung, andere auf der Baumrinde, wieder andere suchen im Blätterwald der Baumkronen nach Nahrung. Manche fressen Knospen und Früchte von Pflanzen, andere Insekten und Spinnen, und manche Vogelarten fressen andere Vögel, kleine Säugetiere etc. Es ist also eine intensive Verknüpfung vorhanden.

Nehmen wir jetzt die Säugetiere, dann zeigt sich Ähnliches. Einige ernähren sich am Boden von Insekten und anderen Kleintieren, andere fressen die Pflanzen oder deren Früchte und Samen. Das Eichhörnchen ernährt sich sowohl am Boden wie in den Baumkronen; es überstreicht räumlich und von der Art der Nahrung her einen weiten Bereich. Der Baummarder stellt dem Eichhörnchen nach etc. Auch hier wird eine netzartige Beziehung zwischen den Lebewesen sichtbar.

Als letzte Gruppe wollen wir die Insekten einbeziehen, unter denen es ja eine ganze Reihe von Schädlingen gibt, die in der Forstwirtschaft nicht zu Unrecht gefürchtet sind. In einem Mischwald finden sie ein vielfältiges Nahrungsangebot, ohne daß eine bestimmte Nahrung allein und im Überfluß vorhanden wäre. Außerdem gibt es in einem solchen Waldtyp viele Freßfeinde der Insekten.

Es spielt sich also ein **biologisches Gleichgewicht** ein, das kaum jemals stark gestört wird.

Anders liegen die Verhältnisse in weniger abwechslungsreichen Wäldern, besonders schlimm ist die Situation in reinen Fichtenforsten. Die Fichte wird in Mitteleuropa auf großen Flächen angepflanzt. Meist wird dabei so vorgegangen, daß nur Fichten einer Altersklasse, aber keine anderen Baumarten angepflanzt werden. Einen solchen Bestand bezeichnet man als **Monokultur.** Monokulturen zeichnen sich nun dadurch negativ aus, daß hier ein Überangebot an spezieller Nahrung besteht, was zur Folge hat, daß sich Insekten, die auf diese Nahrung spezialisiert sind, stark vermehren können. Freßfeinde sind aber nur wenige vorhanden, da sie in diesem einseitigen Lebensraum keine entsprechenden Lebensbedingungen finden. Ein reiner Fichtenforst ist ein sehr wenig abwechslungsreicher und sehr wenig strukturierter Lebensraum. Solche Lebensräume sind auch schlecht stabilisiert. In Abständen gerät das biologische Gleichgewicht außer Kontrolle und Massenvermehrungen von Schadinsekten sind die Folge. Die verbreitete Form der Forstbewirtschaftung, Fichten in Monokulturen anzupflanzen, ist zwar wirtschaftlich möglicherweise noch sinnvoll, aber ökologisch absolut unsinnig. Mittlerweile scheint denn auch bei Förstern und Forstwissenschaftlern ein Prozeß des Umdenkens begonnen zu haben, der in die Richtung eines **ökologischen Waldbaus** geht.

Waldbewirtschaftung

In diesem Abschnitt sollen einige Begriffe aus der Arbeit des Försters erläutert werden, die einerseits die Waldgeschichte widerspiegeln, andererseits aber auch biologisch-ökologische Probleme der Waldbewirtschaftung deutlich machen.
Gebüschartige Wälder nennt man **Niederwälder.** Die Bäume werden meist schon nach 1 bis 3 Jahrzehnten geschlagen. An den in der Erde verbliebenen Stöcken bilden sich Stockausschläge, die man eine Zeitlang wachsen läßt, um sie dann – meist auf größeren Flächen – zu schlagen. Bleiben in einem solchen Wald einzelne hohe Bäume als sogenannte **Überhälter** stehen, spricht man von einem **Mittelwald.** Bei uns trifft man heute fast nur **Hochwald** an. Hier wachsen die Bäume aus Keimlingen oder ausgebrachten Jungpflanzen heran. Man läßt die Bäume mehrere Jahrzehnte wachsen, um sie dann auf großen Flächen einzuschlagen. Man spricht hier von **Kahlschlag.** Kahlschäge stellen einen tiefen Eingriff in die Ökologie des betreffenden Waldgebietes dar, so daß man auch den anderen Weg, den des **Plenter-** oder **Femelschlages,** beschreitet. Hier werden einzelne hiebreife Bäume oder Baumgruppen herausgeschlagen, so daß Einschlag auf großen Flächen vermieden werden kann. Außerdem ist ein **Plenter**-oder **Femelwald** im allgemeinen abwechslungsreicher und damit ökologisch stabiler. Wendet man diese Art des Holzeinschlags an, dann kann man den Wald als **Dauerwald** bezeichnen. Es werden stets nur einige Bäume gefällt, aber die Flächen bleiben durchgehend von Baumbestand bedeckt.

Funktionen des Waldes

Wald liefert Holz. Dies ist sicher die derzeit wichtigste Funktion unserer Wälder bzw. Forsten. Holz wird in vielfältiger Weise verwendet und in großen Mengen gebraucht. Es findet als Bauholz Verwendung; Holz ist die Grundlage der Möbelindustrie; ein riesiger Teil des Holzes wird zu

Papier und Pappe weiterverarbeitet. Holz wird auch als Brennmaterial benötigt, heute in wesentlich geringerem Maß als früher und möglicherweise in der nicht allzu fernen Zukunft, wenn fossile Brennstoffe wie Kohle, Öl und Gas knapper und noch teurer werden.
Die Holznutzung ist also die eine Seite. Wälder haben aber auch eine wichtige Funktion bei der Bildung unseres Klimas. Die Pflanzen, vor allem die Waldbäume, produzieren große Mengen an Sauerstoff, der der Atmosphäre wieder zugeführt wird. Man geht davon aus, daß die großen Urwaldgebiete in Südamerika (die Amazonasurwälder) und in Afrika (die Urwälder im Kongobecken) maßgeblich auf den Sauertstoffhaushalt der gesamten Erde einwirken! Über die Blätter der Bäume wird aber auch Wasser in riesigen Mengen verdunstet und ebenfalls wieder in die Atmosphäre rückgeführt. Schließlich lagert sich auf den Blättern eine Unmenge Staub ab, der dann bei Regenfällen abgewaschen und wieder dem Boden zugeführt wird. Der Staub wird also der Luft entzogen. Bei der heutigen Luftverschmutzung ist dies eine wichtige Funktion.
Dann bietet der Wald vielen Organismen Lebensraum. Wälder sind also Flächen, die eine wichtige arterhaltende Funktion haben. Auf die Problematik artenreicher Mischwald – artenarme Monokultur wurde schon eingegangen.
Und schließlich spielt heute der Freizeitwert des Waldes eine große Rolle. Denn viele Waldgebiete werden heute als Erholungsgebiete von Millionen von Menschen genutzt. Diese Rolle der Wälder besitzt steigenden Stellenwert, wenn man dies auch nicht so leicht in Geld umrechnen kann, wie etwa die Holzmenge, die man einem Wald entnimmt.
Alles in allem ist der Schluß berechtigt, daß Waldgebiete besonderen Schutzes bedürfen. Wenn von Seiten der Forstwirtschaft zu mehr ökologischen Waldbaumethoden übergegangen wird, die Gesamtfläche unserer Wälder nicht mehr zugunsten von Straßen, Industrieanlage und Wohnungsbaugebieten reduziert wird und wenn die Menschen ihren Wald entsprechend behandeln, besteht ein bißchen Hoffnung, daß wenigstens etwas von dem erhalten bleibt, was viele Menschen heute in den großen unberührten Wäldern Nordskandinaviens, Kanadas, Alaskas oder in den Urwäldern der Tropen suchen, und was man mit Begriffen wie Ursprünglichkeit, Naturnähe, Abenteuer umschreiben kann!

Bei 3 oder 4 Bildern pro Seite gehören – wenn nichts anderes vermerkt – die Texte der Reihenfolge nach zum Bild links oben, rechts oben, links unten, rechts unten.

Fichte, Rottanne *Picea abies*

Die 30 bis 50 m hohe Fichte ist neben der Kiefer der wohl bekannteste Nadelbaum in Mitteleuropa. Ihre natürlichen Verbreitungsgebiete liegen in den Mittel- und Hochgebirgen und in Skandinavien. Die Fichte wird aber als schnellwüchsiger Baum auch in vielen anderen Gegenden angepflanzt, so daß wir heute ein Verbreitungsbild vor uns haben, das stark vom Menschen beeinflußt ist. Die typischen Merkmale der Fichte sind ihre spitzkegelige Kronenform und ihre rotbraune Rinde, die dem Baum auch den Namen Rottanne eingebracht hat. Bei älteren Bäumen kann die Rinde jedoch auch grau aussehen; besonders häufig sieht man dies in Gebirgslagen. Dann stehen die etwa 2 cm langen Nadeln allseitig um den Zweig herum und sind meist nach vorne gerichtet. Die Nadeln haben eine vierkantige Form und sind vorne zugespitzt. Diese Kennzeichen sind bei einem Vergleich mit der Tanne wichtig. Wesentlich für die Unterscheidung zwischen Fichte und Tanne ist noch die Tatsache, daß die reifen Zapfen bei der Fichte an den Zweigen hängen, wie es das Foto zeigt. Außerdem fallen sie als Ganzes ab. Die Fichte ist ein Flachwurzler, d. h. ihre Wurzeln dehnen sich in erster Linie horizontal aus. Daher sind die Bäume stark durch Windbruch gefährdet. Auf einem Waldspaziergang sieht man häufig die »Wurzelteller« umgestürzter Fichten. – Das Holz der Fichten wird hauptsächlich zur Papierherstellung genutzt. Daneben findet es aber auch als Bauholz Verwendung. Und nicht zuletzt werden viele Fichten angepflanzt, um im Winter als Weihnachtsbäume geschlagen zu werden.

Weißtanne *Abies alba*

Die Tanne ist – wie die Fichte – ein immergrüner Nadelbaum. Sie wird bis zu 60 m hoch und ist der größte einheimische Nadelbaum überhaupt. Tannen haben andere Standortansprüche als Fichten; sie brauchen kühlen, etwas feuchten und nährstoffreichen Boden, der aber tiefgründig sein sollte. Von der Fichte kann man die Tanne leicht an den Nadeln unterscheiden: Sie stehen bei der Tanne zweizeilig vom Zweig ab, sind flachgedrückt, nicht zugespitzt und tragen auf ihrer Unterseite zwei charakteristische, helle Wachsstreifen. Ihre Zapfen stehen auf den Zweigen. Die Schuppen fallen einzeln ab, so daß auf dem Zweig die Zapfenspindel zurückbleibt. Die »Tannenzapfen«, die man am Waldboden findet, sind also stets die Zapfen der Fichte! Und schließlich fällt von weitem auf, daß die Krone der Tanne ein »Storchennest« bildet.

Waldkiefer, Föhre *Pinus silvestris*

Die Kiefer ist ein anspruchsloser Baum, was den Boden angeht. Aber sie ist eine ausgesprochene Lichtholzart. Dieser Nadelbaum wird 10 bis 30 m hoch. Die Rinde junger Kiefern ist rotbraun gefärbt, die älterer Bäume graubraun. Die bis zu 8 cm langen, zugespitzten, blaugrünen Nadeln stehen paarweise in kurzen Blattscheiden. Die Waldkiefer ist im Gegensatz zur Fichte ein Tiefwurzler. Das hat zum einen die Konsequenz, daß sie auch auf Sandböden existieren kann, denn mit ihrem Wurzelsystem reicht sie in beträchtliche Tiefe hinab, von wo sie das nötige Wasser emportransportiert. Zum anderen hat ihre Pfahlwurzel aber auch die Konsequenz, daß der Baum bei starkem Sturm nicht umgeworfen, sondern einige Meter oberhalb des Erdbodens abgeknickt wird. – Die Waldkiefer ist der wichtigste Forstbaum Europas. Es gibt in Europa noch verschiedene andere *Pinus*-Arten, mit der man sie verwechseln kann. Hier sollte man ein spezielles Bestimmungsbuch für Bäume zu Rate ziehen.

Lärche *Larix decidua*

Es ist für einen Nadelbaum durchaus nicht die Regel, daß er seine Nadeln das ganze Jahr über trägt. Die Lärche ist ein solcher nur sommergrüner Nadelbaum. Sie wird etwa 40 m hoch, und ein Lärchenwald bietet ein optisch ungemein reizvolles Schauspiel, wenn sich die Nadeln im Herbst gelb verfärben. Typisch ist, daß die weichen, etwa 4 cm langen Nadeln an den Kurztrieben büschelig stehen. Man kann die Lärche daher kaum mit einem anderen europäischen Nadelbaum verwechseln. Ursprünglich kam sie nur in den Alpen, den Sudeten und den Karpaten vor, und in diesen Gebirgszügen in Lagen zwischen 1000 und 3000 m. Aber auch ihr Verbreitungsbild ist durch forstwirtschaftliche Maßnahmen verfälscht worden. Der raschwüchsige Baum liefert sehr hartes und geschätztes Nutzholz.

Eibe *Taxus baccata*

Die Eibe wächst als Strauch oder als bis zu 20 m hoher Baum. Da sie Schatten verträgt, findet man sie öfter im Unterwuchs von Laub- und Mischwäldern. Ihre Vorkommen liegen aber über Europa verstreut. Sie braucht wintermildes Klima mit ausgeglichener Luftfeuchtigkeit. Daher kommt sie mehr in Mittel- und Westeuropa mit seinem vom Atlantik stark beeinflußten (= ausgeglichenen) Klima vor. Die flachen Nadeln und die auffälligen, allerdings giftigen Früchte sind eindeutige Kennzeichen.

Rotbuche *Fagus silvatica*

Die Rotbuche ist wohl der bekannteste Laubbaum mitteleuropäischer Wälder. In Deutschland nimmt sie etwa die Hälfte der von Laubwäldern bestandenen Flächen ein. Darüber hinaus kommt sie bis in den nördlichen Teil der Iberischen Halbinsel, in Südengland und Südskandinavien vor, auf der Apennin-Halbinsel und in großen Teilen des Balkans. Da die Buche ein Baum ist, der kein kontinentales Klima verträgt, dehnt sich ihr Verbreitungsgebiet nicht sehr weit nach Osten aus. – Buchen werden 30 bis 40 m hoch. Für alte Bäume ist die kuppelförmige Krone typisch. Im Bestand haben die Bäume bis in 20 m Höhe kaum Äste, so daß der Eindruck eines »natürlichen Doms« entsteht. Kennzeichnend für die Buche ist weiter die glatte, graue Rinde. Die Blätter sind von elliptischer Form, haben 5 bis 9 deutliche Nervenpaare, und ihr Rand ist flaumig bewimpert. Die Blätter sind, wenn der Baum im Schatten steht, heller grün und dünnhäutiger als die einer frei oder an einem Waldrand stehenden Buche. – Die Blüten der meisten Laubbäume sind Naturfreunden kaum bekannt. Das gilt auch für die Buche. Bei ihr stehen die männlichen Kätzchenblüten büschelig zusammen an den Enden langer Stiele; die weiblichen Blüten stehen in den obersten Blattachseln. Die Blüten sind unscheinbar gefärbt. Das liegt daran, daß Buchen als windblütige Pflanzen nicht auf die Bestäubung durch Insekten angewiesen sind und daher auf einen auffälligen Schauapparat – wie etwa bei einer Tulpenblüte – verzichten können. Bekannter sind dagegen die Früchte der Buche, die Bucheckern (Abb. oben rechts). – Buchen liefern hartes, wertvolles Nutzholz, u. a. für die Möbelindustrie; es wird aber auch als Kaminholz verwendet.

Hainbuche *Carpinus betulus*

Die Hainbuche kann man auf den ersten Blick leicht mit der Rotbuche verwechseln, vor allem wenn beide Arten noch als Jungbäume nebeneinander stehen. Die Hainbuche wird etwa 25 m hoch. Durch Stockausschläge kommt meist eine von unten herauf dichtere Wuchsform zustande als bei der Rotbuche. Die Blätter beider Bäume ähneln sich ebenfalls, nur ist die Nervatur der Hainbuchenblätter dichter, und der Blattrand ist gesägt. Zudem erscheint die Blattoberfläche durch die Nerven stärker strukturiert. An den Früchten kann man beide Bäume leicht auseinanderhalten: Die Hainbuche hat dreilappige Flugfrüchte (Abb. unten rechts). – Die Buche gehört in die Familie der Buchengewächse *(Fagaceae)*, die Hainbuche aber zu den Haselnußgewächsen *(Corylaceae)*.

Traubeneiche *Quercus petraea* (Abb. oben links)
Stieleiche *Quercus robur* (Abb. oben rechts)

Eichen werden bis zu 45 m hoch und bis zu 600 Jahre alt. Sie sind mehr oder weniger stark verästelt; die Borke weist tiefe Risse auf. Daher haben die Bäume oft ein »uriges« Aussehen, und die Menschen haben ja auch eine stark emotinal betonte Beziehung zu diesen Bäumen. In weit zurückliegender Zeit brachte man Eichen mit Göttern in Verbindung. Später hielt man im Schatten von Eichen Gerichtstage ab.
In Mitteleuropa spielen vor allem zwei Eichenarten eine Rolle, die Traubeneiche und die Stieleiche. Bei der Traubeneiche sind die typischen, gelappten Blätter 1 bis 3 cm lang gestielt, bei der Stieleiche dagegen ist der Blattstiel sehr kurz. Die Blätter sind bei der Traubeneiche meist symmetrisch, bei der Stieleiche dagegen eher unregelmäßig gelappt und am Grund herzförmig geöhrt. Bei der Traubeneiche sind die Früchte, die bekannten Eicheln, kurz gestielt, bei der Stieleiche sitzen sie an langen Stielen, und hierauf bezieht sich eben auch der Name Stieleiche. Die Traubeneiche kommt eher auf trockenen, steinigen Böden, die Stieleiche auf frischen und tiefgründigen Böden vor. Die beiden Eichenarten stellen also verschiedene Ansprüche an den Standort. Eichen liefern sehr wertvolles Nutzholz.

Bergahorn *Acer pseudo-platanus*

Die wichtigsten drei mitteleuropäischen Ahornarten – der Spitzahorn *(A. platanoides),* der Feldahorn *(A. campestre)* und der Bergahorn – lassen sich an der unterschiedlichen Form ihrer gelappten, gegenständigen Blätter und der Früchte leicht auseinanderhalten. Man befrage hier ein entsprechend ausführliches Bestimmungsbuch, das dieser Führer nicht ersetzen kann und auch nicht soll. – Der Bergahorn braucht feuchten, nährstoffreichen Boden, der in den obersten Schichten humusreich sein sollte. Da der Baum an das Licht und die Wärme nur mäßige Ansprüche stellt, finden wir ihn vor allem in Schluchtwäldern und in feuchten Hangmischwäldern. Mittelgebirgslagen sind deutlich bevorzugt, doch wächst der Bergahorn auch im Hochgebirge bis zur Laubwaldgrenze. Bisweilen findet man diese Ahornart auch in Auwäldern.
Der Spitzahorn ist in Mischwäldern – sowohl als Baum wie auch als Strauch – weit verbreitet. Den Feldahorn trifft man am ehesten an Waldrändern an.

Schwarzerle *Alnus glutinosa* (Abb. oben)

Die Schwarzerle – ein bis zu 25 m hoher, oftmals mehrstämmig wachsender Laubbaum – verträgt sehr hohe Bodenfeuchtigkeit. Aus diesen Standortsansprüchen folgt, daß wir Schwarzerlenbestände meist am Rand von Bächen und Flüssen und entlang der Ufer von Weihern und Seen finden. Typisch ist sie also für Auen- und Bruchwälder. Die Schwarzerle ist über Mittel- und Nordeuropa verbreitet und geht bis nach Sibirien hinein ostwärts. Die Rinde dieser Erlenart ist schwarzgrau und zeigt tiefe Risse. Die jungen Triebe sind klebrig. Die Blätter sind rundlich oder verkehrt-eiförmig und an der Spitze abgerundet, oft auch leicht eingebuchtet. Sie weisen 5 bis 6 Paare von Blattnerven auf. Die Ränder der Blätter sind doppelt gesägt. Ende März/Anfang April blühen die Kätzchen auf (Abb. oben rechts). Interessant ist, daß Erlen im Wurzelbereich mit Strahlenpilzen eng zusammenleben. Man sieht an freihängenden Wurzeln Knöllchen, die von den sogenannten Symbionten hervorgerufen werden. Für die Erle hat dies den Vorteil, daß der Luftstickstoff verwertet werden kann, der für den Baum sonst nicht direkt zugänglich ist. Aus dieser Eigentümlichkeit erklärt sich, daß Erlen auf staunassen Böden gerne als »Pionierpflanzen« eingesetzt werden.

Espe, Zitterpappel *Populus tremula*

Espen können bis zu 35 m hoch werden. Sie brauchen eine gewisse Bodenfeuchtigkeit, stellen aber keine großen Ansprüche an den Nährstoffgehalt. Dagegen ist die Art recht licht- und wärmebedürftig. Demzufolge findet man sie am ehesten an Waldrändern und zusammen mit Sträuchern wie Schlehdorn, Weißdorn oder dem Blutroten Hartriegel in größeren Gebüschen. Leicht kann man die Espe an den Blättern erkennen: Sie zeigen eine fast kreisrunde Form und sind lang gestielt. Beim leisesten Luftzug fangen sie an sich zu bewegen. Aus dieser Beobachtung erklärt sich die Redensart »zittern wie Espenlaub«.

Hängebirke *Betula pendula*

Auf Grund der herunterhängenden jungen Triebe hat diese Birke ihren Artnamen bekommen. Diese sind außerdem mit vielen warzigen Harzdrüsen besetzt, daher auch der synonyme Name Warzenbirke. Die Hängebirke ist über fast ganz Europa verbreitet (Ausnahme: Iberische Halbinsel). Sie wächst vor allem in trockenen Lagen, oft auch als Erstbesiedler auf Sandböden.

Esche *Fraxinus excelsior*

Wie bei der Schwarzerle erscheinen auch bei der Esche die Blüten, bevor sich die Blätter entfalten. Blühende Eschen trifft man im April/Mai an. Die schlanken Bäume werden bis zu 40 m hoch. Meist haben sie bis hoch hinauf keine Äste, so daß man sie – wenn dann noch im Juni das Laub voll entfaltet ist – relativ leicht erkennen kann. Eschen brauchen zum Gedeihen lockeren, tiefgründigen und nährstoffreichen Boden, der eine ziemlich hohe Feuchtigkeit aufweisen muß. Auch diesen Baum findet man daher in Auwäldern. Die Esche ist über fast ganz Europa und Nordasien verbreitet. – Ihre Borke ist grau gefärbt und zeigt nicht sehr tiefe Längsrisse. Die Blätter sind charakteristisch: Sie sind unpaarig gefiedert, d. h. sie haben eine Endfieder. Die Blätter werden bis zu 30 cm lang und sind gegenständig am Zweig angeordnet. Die geflügelten Früchte bleiben den Winter über am Baum hängen; auch daran ist die Esche leicht zu erkennen. – Flügel sind ein Mechanismus, mit dem eine Pflanze ihre Samen oder Früchte wirkungsvoll verbreiten kann. Würde ein Same direkt nach unten fallen, bestände kaum eine Chance, daß daraus einmal ein großer Baum werden kann. Die Konkurrenz um Licht, Wurzelraum und Nährstoffe wäre zu groß. Aber auch wenn ein solcher Mechanismus vorhanden ist, muß immer noch eine Vielzahl von Samen ausgebildet werden, damit daraus einmal nach Jahren ein neuer Baum bis zu voller Größe heranwachsen kann.

Eberesche, Vogelbeere *Sorbus aucuparia*

Auf den ersten Blick kann man die Blätter der Eberesche vielleicht mit denen der Esche verwechseln. Auch ihre Blätter sind unpaarig gefiedert, aber stärker gesägt und gezähnt als die der Esche. Sie sitzen außerdem wechselständig an den Zweigen. Ebereschen werden auch nur bis zu 15 m hoch. Der Stamm ist grau-schwarz gefärbt. Im Mai/Juni blühen die Ebereschen; die zahlreichen weißen Blüten bilden eine Trugdolde von etwa 15 cm Durchmesser. Die Blütenstände sind ein eindeutiges Kennzeichen, noch mehr aber die Früchte, die typischen, roten Vogelbeeren. Hier treffen wir auf einen anderen Mechanismus, wie sich Pflanzen ausbreiten können: Die signalfarbenen Früchte werden von Vögeln gefressen, die aber nur das Fruchtfleisch verdauen können, während die Samen unversehrt den Darm passieren. An oft weit entfernter Stelle von der Mutterpflanze werden die Samen mit dem Kot wieder ausgeschieden, und sie können auf diese Weise eher an einen zur Keimung günstigen Ort gelangen.

Haselnuß, Hasel *Corylus avellana* (Abb. oben)

Die Haselnuß bevorzugt als Lichtholzart freie Stellen im Wald oder noch eher die Waldränder, wo sie zusammen mit verschiedenen anderen Sträuchern – etwa dem Feldahorn oder dem Blutroten Hartriegel – überall in Europa häufig vorkommt. Die Blätter der Haselnuß sind rundlich oder verkehrt-eiförmig, zugespitzt und am Grund meist herzförmig eingebuchtet. Typischer sind aber die männlichen Blütenstände – im Volksmund auch »Lämmerschwänzchen« genannt –, die schon im Februar, lange vor den Blättern, erscheinen (Abb. oben links). Weniger bekannt sind die weiblichen Blüten, die auf demselben Strauch stehen: Aus eiförmigen Knospen ragen die roten Griffel hervor. Im Herbst ist der Strauch gut an den Früchten – den bekannten Haselnüssen (Abb. oben rechts) – zu erkennen, die meist zu mehreren dicht beieinanderstehen. Die Nüsse werden von Eichelhähern, Spechten, Eichhörnchen, Mäusen und Bilchen gerne gefressen.

Blutroter Hartriegel *Cornus sanguinea*

Ein weiterer – bis zu 5 m hoher – Strauch, dem man in Waldrandgesellschaften begegnet, ist der Blutrote Hartriegel. Seinen Namen trägt er auf Grund der rötlich überlaufenen, jungen Zweige. Die elliptischen, zugespitzten Blätter sind gegenständig angeordnet, auf der Ober- und Unterseite grün und locker behaart. Im Mai/Juni öffnen sich die weißlichen, in Trugdolden zusammengefaßten Blüten. Die Früchte sind schwarz. Der Blutrote Hartriegel ist über fast ganz Europa verbreitet.

Pfaffenhütchen, Spindelstrauch *Euonymus europaeus*

Das Pfaffenhütchen steht oft mit den beiden vorigen Arten zusammen in Gebüschen, an Waldrändern, an offenen Stellen im Wald und ähnlichen Standorten. Der bis zu 3 m hohe, sperrige Strauch ist nicht leicht zu erkennen, solange er keine Früchte trägt. Die gegenständigen Blätter sind von elliptisch-lanzettlicher Form und am Rand leicht gesägt. Die gelbgrünen, vierzähligen Blüten sind da schon etwas auffälliger; der Strauch blüht im Mai/Juni. Die Früchte haben dem Strauch seinen Namen eingetragen: Die Kapseln sind vierkantig, abgerundet und karminrot gefärbt; sie sehen der Kopfbedeckung geistlicher Würdenträger ähnlich. Die Kapseln platzen später auf, und die Samen mit ihrem kräftig orangefarbenen Mantel werden sichtbar. Die Samen sind für den Menschen giftig. Vögel vertragen sie aber ohne Schaden und tragen zur Ausbreitung der Art bei.

Heidelbeere, Blaubeere *Vaccinium myrtillus*

Die gerade kniehohen Arten der Gattung *Vaccinium* – man spricht hier von Zwergsträuchern – wachsen alle auf saurem Boden. Man findet die häufigste Art, die Heidelbeere, in lichten Wäldern auf Urgestein. Typisch sind der kantige, kahle Stengel und die fein gesägten, eiförmigen Blätter. Im Mai/Juni erscheinen die grünlich gefärbten, glockenförmigen Blüten. Wenn der Zwergstrauch seine schwarzblauen, hellblau bereiften Früchte trägt, wird ihn wohl jeder erkennen.

Seidelbast *Daphne mezereum*

Der Seidelbast fängt schon im Februar an zu blühen, lange bevor die ersten Blätter erscheinen. Die zu mehreren zusammenstehenden rosa gefärbten Blüten duften sehr stark. Die lanzettlichen Blätter stehen an den Zweigenden gehäuft, in den übrigen Abschnitten der Triebe weniger dicht. Die Früchte – etwa erbsengroße, rot glänzende Beeren – sind sehr giftig! Der Seidelbast liebt Kalkboden und kommt zerstreut in Laub- und Laubmischwäldern in fast ganz Europa vor. Er ist darüber hinaus über Teile Asiens verbreitet.

Himbeere *Rubus idaeus*

Die Himbeere braucht kaum vorgestellt zu werden, denn sie ist wohl jedem Waldwanderer wegen ihrer roten, wohlschmeckenden Früchte bekannt. Der bis zu 1,50 m hohe Strauch wächst besonders auf feuchten, nährstoffreichen Böden, deren Untergrund steinig sein kann. Die Pflanze ist sehr lichtbedürftig und gedeiht daher am besten auf Waldlichtungen, Kahlschlägen und an Waldrändern. Ähnliche Ansprüche stellt die nahe verwandte Brombeere *(R. fruticosus),* die an den schwarzblauen, ebenfalls gut schmeckenden Früchten leicht zu erkennen ist.

Schlehdorn, Schlehe, Schwarzdorn *Prunus spinosa*

Die Schlehen blühen schon sehr zeitig im Frühjahr und sind daher als eine der ersten Nahrungsquellen für die Bienen nach der langen Winterperiode wertvoll. Die weißen Blüten stehen meist einzeln über den ganzen Zweig verteilt. Nach der Blüte entfalten sich die elliptischen, gesägten Blätter. Im Herbst findet man dann die schwarzblauen, bereiften Früchte, die Pflaumen ähnlich sehen. Schlehengebüsche findet man hauptsächlich an Waldrändern.

Efeu *Hedera helix*

Auf dieser Seite werden Pflanzen vorgestellt, die biologisch besonders interessant sind. Der Efeu, weil er in der Lage ist, mit besonderen Einrichtungen zu klettern. Der Untergrund kann Gestein sein; der Efeu klettert aber auch an Baumstämmen empor. Die Pflanze benutzt dazu ihre sogenannten Haftwurzeln. Dann zeigt der Efeu ein weiteres bemerkenswertes Phänomen, das die Botaniker Heterophyllie nennen: Im bodennahen Bereich sind die winterharten Blätter gelappt; an den oberen blühenden Sprossen – Efeu blüht im Herbst, die blauschwarzen Früchte erscheinen im darauffolgenden Frühjahr – finden wir dagegen rautenförmige Blätter. Der Efeu ist nicht sehr anspruchsvoll, was den Boden angeht, bevorzugt aber Kalk. Halbschattige und schattige Standorte werden eher besiedelt als offene Stellen. Efeu kommt in Laubwäldern im mittleren und westlichen Europa vor; die Pflanze ist etwas frostempfindlich und verträgt daher kontinentales Klima nicht. Efeu wird vielfach angepflanzt und verwilderte an Stellen, wo er nie vorkam.

Gemeine Waldrebe *Clematis vitalba*

Klettert der Efeu mit Hilfe der Haftwurzeln manchmal bis zu 20 m hoch an Bäumen empor, so erreicht die Waldrebe ähnliche Höhen, wenn auch mit einem anderen Mechanismus: Sie benutzt ihre Blattstiele, um ebenfalls an Bäumen emporzuklettern. Interessant ist, daß ihr Stengel nur wenige Zentimeter dick ist. Die Waldrebe stellt bescheidene Ansprüche an den Untergrund, aber sie ist sehr lichtbedürftig. Und Licht ist im Wald am ehesten zu finden, wenn die Pflanzen möglichst weit nach oben gelangen. Wenn eine Pflanze aber selbst nicht so hoch werden kann – der Stengel der Waldrebe ist zwar verholzt, aber, wie gesagt, recht dünn –, dann bleibt nur die Möglichkeit, an anderen hohen Pflanzen – etwa an Bäumen – emporzuklettern, um in einiger Höhe in stärkeren Lichtgenuß zu kommen als am Boden. Die Waldrebe blüht von Juni bis September; die Blüten sind gelblichweiß gefärbt. Typisch sind die Früchte, die einen interessanten Flugapparat zeigen.

Mistel *Viscum album*

Dieser bis zu 1 m hohe Strauch wächst direkt auf anderen Pflanzen, meist auf hohen Bäumen. Der Halbschmarotzer treibt Senker in die Äste der Mutterpflanze und zweigt für sich Wasser und Nährsalze ab. Typisch sind die gegenständigen Blätter und die weißen, glasigen Früchte. Misteln sind über ganz Europa verbreitet.

Buschwindröschen *Anemone nemorosa*

Im zeitigen Frühjahr, lange bevor an den Laubbäumen die ersten Blätter erscheinen, blühen am Waldboden verschiedene Pflanzen, die, wenn sie wie das Buschwindröschen in regelrechten Herden wachsen, den Aspekt eines Waldes prägen. Man nennt diese Gruppe von Pflanzen Frühblüher. Ein biologisches Problem ist aber, wie diese Pflanzen so früh Blätter und Blüten ausbilden können. Die Lichtstrahlen können zwar in dieser Jahreszeit ungehindert bis zum Boden gelangen, aber die Tageslichtdauer und die Strahlungsintensität würden dennoch nicht ausreichen, der Pflanze die notwendige Bereitstellung von Baustoffen für Blüten und Blätter zu ermöglichen. Die Frühblüher zeigen nun allesamt Speicherorgane, in denen bereits im Vorjahr diese Bausubstanz angesammelt wurde. Und aus diesem Vorrat kann die Pflanze schon im Februar/März Blüten und Blätter aufbauen.
Ein über große Teile Europas und Asiens verbreiteter Frühblüher ist das Buschwindröschen. Seine 3 Fiederblätter bilden einen Wirtel, aus dessen Zentrum der Blütenstiel entspringt. Die Blüten sind aus 6 rosa überhauchten, weißen Kronblättern und zahlreichen Stempeln und Staubblättern aufgebaut. Immer wieder sind Waldspaziergänger verlockt, einen Strauß Buschwindröschen zu pflücken. Die Pflanzen welken aber sehr rasch, denn die Blätter besitzen keinerlei Verdunstungsschutz. Auf dem im Frühjahr vom Winter her noch ausreichend feuchten Boden brauchen die Pflanzen solche Einrichtungen auch gar nicht. – Würde man eine Pflanze ausgraben, stieße man auf einen verdickten Wurzelstock, der als Speicherorgan fungiert. Wenn sich dann im Mai/Juni das Kronendach geschlossen hat und kaum mehr Licht zum Waldboden dringt, stirbt die Pflanze ab.

Leberblümchen *Hepatica nobilis*

Auch das mit dem Buschwindröschen nahe verwandte Leberblümchen ist ein Frühblüher. Im Unterschied zu der vorigen Art bleiben die typischen, dreilappigen Blätter den Winter über erhalten. Die blauen Blüten sind gleich gebaut wie die des Buschwindröschens. Wenn sie verblüht sind, erscheinen die neuen Blätter; die vorjährigen sterben dann ab. Leberblümchen wachsen – oft herdenweise – in schattigen Laubwäldern auf frischen, nährstoffreichen, meist kalkhaltigen, lockeren Böden mit entsprechender Mullschicht.

Hohler Lerchensporn *Corydalis cava*

Auch einige der verschiedenen Lerchenspornarten, die in Mitteleuropa vorkommen, zählen zu den Frühblühern. Der Hohle Lerchensporn blüht manchmal bereits im März. Die zum Aufbau der Blätter und Blüten notwendige Substanz beziehen die Pflanzen aus den überwinternden, hohlen Knollen (Name!). Die doppelt-dreizähligen Blätter werden von einer endständigen Blütentraube überragt. Die Traube kann 10 bis 20 Einzelblüten vereinigen, deren Farbe von lila über rötlich bis weiß variieren kann. Der Hohle Lerchensporn wird etwa 25 cm hoch. Man findet ihn – meist in größeren Beständen – in lichten Laubwäldern – vor allem Buchenwäldern – mit einer gut ausgebildeten Krautschicht. Er ist eine Mullbodenpflanze und zeigt nährstoffreichen Lehmboden an.

Walderdbeere *Fragaria vesca*

Auf Kahlschlägen, entlang der Waldwege und an Waldrändern findet man regelmäßig diese verkleinerte Ausgabe der im Garten angepflanzten Erdbeere. Die Walderdbeere zeigt – genau wie die Gartenform – die typischen, gezähnten, dreiteiligen Fiederblätter und die weißen Blüten. Von April bis Juni kann man die Walderdbeere blühend antreffen. Einige Zeit später reifen dann die Früchte, oder richtiger Scheinfrüchte, denn bei den Erdbeeren sitzen viele - gelbliche - Samen auf dem fleischigen - roten - Blütenboden. Übrigens: Walderdbeeren geben eine vorzügliche Bowle ab! Man kann sie fast überall - von ebenen Lagen bis ins Hochgebirge - sammeln.

Frühlingsplatterbse *Lathyrus vernus*

Die Frühlingsplatterbse ist – wie ihr Name schon nahelegt – genau wie das schon vorgestellte Buschwindröschen, das Leberblümchen und der Hohle Lerchensporn ein Frühblüher. Dieser Schmetterlingsblütler ist oft schon im März blühend anzutreffen, und zwar am ehesten in krautreichen Buchen- und Nadelmischwäldern auf frischen, nährstoffreichen, lockeren Ton- und Lehmböden von der Ebene bis in Hochgebirgslagen. Die unpaarig gefiederten Blätter setzen sich aus 4 bis 6 Blättchen zusammen; die Endfieder ist nur als kurze Spitze vorhanden. Die Blüten sind anfangs purpurn, dann blau und zuletzt grünlich gefärbt. Das liegt daran, daß bestimmte Blütenfarbstoffe in Abhängigkeit von den Bedingungen in den Zellen ihre Farbe ändern. Dasselbe Phänomen tritt auch bei dem später vorgestellten Lungenkraut auf.

Rote Lichtnelke *Melandrium rubrum*

Die bis zu 1 m hohe Rote Lichtnelke trifft man regelmäßig auf feuchten, nährstoffreichen Böden an. Sie kommt in feuchten Gebüschgruppen, Laubwäldern, aber auch auf feuchten Waldwiesen vor, die von der Ebene bis ins Hochgebirge hinauf liegen können. Die ausdauernde Pflanze ist am ehesten im blühenden Zustand zu erkennen. Die roten Blüten stehen zu einer Trugdolde vereint am Ende der behaarten Stengel. Sie werden vor allem von Hummeln und verschiedenen Tagfaltern bestäubt. Die Pflanze blüht von April bis August.

Schmalblättriges Weidenröschen *Epilobium angustifolium*

Von den diversen, in Europa vorkommenden Weidenröschenarten sei hier das Schmalblättgrige Weidenröschen besprochen; es ist eine ganz typische Pflanze der Kahlschläge. Vielfach sind die Kahlschläge den Sommer über rot gefärbt von den auffälligen Blüten dieser Art. Aber sie kommt natürlich auch an anderen freien Stellen im Wald oder an Waldrändern vor. Wegen ihrer auffälligen Blüten nennt man die Pflanze auch »Feuerkraut«, und in Amerika, wo sie ebenfalls an gleichen Standorten vorkommt, heißt sie »fireweed«. Das Feuerkraut wird etwa 1 m hoch. Wenn die Blüten bestäubt sind, reifen die Samen, die wieder einen Flugapparat – hier eine Haarkrone – besitzen. Aus dieser Tatsache erklärt sich, warum freiwerdende Stellen im Wald so rasch besiedelt werden.

Tollkirsche *Atropa belladonna* (Abb. unten)

Die Tollkirsche gehört in die berühmt-berüchtigte Familie der Nachtschattengewächse *(Solanaceae).* Berüchtigt ist diese Pflanzenfamilie, weil hierher einige der giftigsten Pflanzen unserer Flora gehören, wie der Stechapfel und das Bilsenkraut, berühmt, weil aber auch Kartoffel, Tomate und Tabak als wichtige Kulturpflanzen hierher zu stellen sind. Allerdings sind auch bestimmte Teile der genannten Nutzpflanzen giftig. Der Tollkirsche begegnet man in Laub- und Mischwäldern auf Kahlschlagflächen, Waldlichtungen oder an Waldwegen. Die bis zu 1,50 m hohe Staude blüht zwischen Juni und August. Die violetten, glockigen Blüten fallen weniger auf als die glänzend schwarzen Früchte, die Kirschen ähnlich sehen und deshalb von Kindern leicht für solche gehalten werden. Bei Vergiftungen ist schnellstens Erbrechen auszulösen und das nächstgelegene Krankenhaus aufzusuchen!

Roter Fingerhut *Digitalis purpurea*

Wie die auf der vorigen Seite abgebildete Tollkirsche, ist auch der Fingerhut eine Giftpflanze. Die Blätter enthalten verschiedene Glykoside, wie Digitalin, Digitoxin u. a. Diese Substanzen wirken auf das Herz, die Gefäße und das Nervensystem. Man kann sich also an den Blättern vergiften; andererseits spielen die in ihnen enthaltenden Stoffe eine große medizinische Rolle.
Der Rote Fingerhut ist ebenfalls eine typische Pflanze auf Kahlschlägen, Waldlichtungen und anderen offenen Stellen im Wald, vor allem im Buchenwald, wo er überall in Westeuropa vorkommt. Mittelgebirgslagen werden bevorzugt. Im ersten Jahr bildet die Pflanze eine Blattrosette aus. Die großen Blätter sind filzig behaart; dies ist eine Möglichkeit, wie eine Pflanze die Verdunstung über die Blätter herabsetzen kann, und das ist ja für eine Pflanze, die – wie der Fingerhut – auf sonnigen Plätzen wächst, sehr wichtig. Im zweiten Jahr erhebt sich aus der Blattrosette der Blütenstengel, der bis zu 1,60 m hoch werden kann. Die Stengelblätter werden nach oben hin kleiner. In den Blattachseln sitzen zahlreiche, purpurrote Blüten, die auf Grund ihrer Form der Pflanze zu ihrem Namen verholfen haben. Die Blüten werden 5 cm lang, sind außen glatt, tragen aber auf der Innenseite Haare. Innen zeigen sie auch eine kräftige, schwarze Fleckung; die einzelnen Flecken sind weiß umrahmt. Die Pflanze blüht im Juni/Juli.
In Mitteleuropa kommen an ähnlichen Stellen wie der Rote Fingerhut noch der Großblütige Fingerhut *(D. grandiflora)* und der Gelbe Fingerhut *(D. lutea)* vor. Beide Arten tragen hellgelbe Blüten.

Haselwurz *Asarum europaeum*

Die Haselwurz kommt ziemlich häufig an schattigen Stellen in krautreichen Laub- und Nadelmischwäldern und in Auenwäldern vor. Der Boden sollte feucht und nährstoffreich sein, vor allem aber Kalk enthalten. Charakteristisch sind die nierenförmigen, dunkelgrünen, ledrigen Blätter, die an langen, behaarten Stielen sitzen. Die Blätter überwintern; biegt man sie im März/April auseinander, entdeckt man die rotbraunen Blüten. Sie riechen stark nach Pfeffer, wenn man sie zerreibt. Erst nach der Blüte erscheinen die diesjährigen Blätter. Die Pflanze bildet nach erfolgter Selbstbestäubung Samen mit fleischigen Anhängen aus, die Ameisen anlocken. Beim Haselwurz übernehmen Ameisen die Ausbreitung der Art.

Echtes Lungenkraut *Pulmonaria officinalis*

Das Lungenkraut ist über fast ganz Europa verbreitet und bevorzugt als Standort lichte Laubwälder; es kommt aber auch an Bachufern und in Auen vor. Diese ausdauernde Pflanze wird 20 bis 40 cm hoch. Die borstig behaarten Stengel tragen nur wenige Blätter, in deren Achseln zu mehreren die Blüten sitzen, deren Färbung – wie die der Frühlingsplatterbse – im Laufe der Blütezeit von rot nach blau umschlägt. Das Lungenkraut wird man oft schon im März blühend antreffen. Es ist ebenfalls ein Frühblüher.

Immergrün *Vinca minor*

Das Immergrün wird mancher als Gartenpflanze kennen. Tatsächlich kommt die Staude aber auch wild – meist herdenweise wachsend – in artenreichen Laub- und Mischwäldern auf frischen, nährstoffreichen Böden vor. Sie ist eine typische Mullbodenpflanze. Die fünfzähligen, hellblauen Blüten erscheinen oft schon im März. Die Pflanze wird 30 bis 60 cm hoch. Der am Grund etwas verholzte Stengel kriecht aber mehr oder weniger am Boden entlang.

Hohe Schlüsselblume *Primula elatior*

Die Hohe Schlüsselblume ist in Mitteleuropa überall in Laub- und Mischwäldern mit gut ausgebildeter Krautschicht anzutreffen. Frische, nährstoffreiche Lehmböden sagen ihr besonders zu. Aus der grundständigen Blattrosette wird ein bis zu 20 cm hoher Blütenstengel emporgeschoben. Die schwefelgelben Blüten stehen doldig gehäuft.

Waldmeister *Galium odoratum*

Den Waldmeister findet man häufig in krautigen Buchen- oder Laubmischwäldern. Die Pflanze liebt frischen, nährstoffreichen, lockeren Lehmboden und einen schattigen Standort. Sie wird bis zu 20 cm hoch. Der glatte, vierkantige Stengel wächst aus einem Wurzelstock empor, der im Boden kriecht, d. h. Jahr für Jahr vorne ein Stück wächst, während die hinteren Teile absterben. Am Stengel sitzen Quirle aus 6 bis 8 lanzettlichen Blättern. Im April/Mai blüht der Waldmeister. Die kleinen, weißen Blüten stehen in Trugdolden dicht beieinander. Alle Teile des Waldmeisters enthalten das angenehm duftende Cumarin. Waldmeister wird auch Maikraut genannt, weil es für Maibowle verwendet wird. Das Cumarin gibt der Bowle den typischen Geschmack. – Die reifen Früchte sind mit hakigen Borsten besetzt, die leicht im Fell von Tieren hängenbleiben. Dies ist eine weitere Methode, mittels der eine Pflanze ihre Samen ausbreiten lassen kann.

Goldnessel *Lamium galeobdolon*

Taubnesseln wirken auf den ersten Blick eher unscheinbar, auch wenn ihre Blüten recht auffällig gefärbt sind. Man sollte sich einmal die Mühe machen, eine solche Blüte ganz aus der Nähe – am besten mit Hilfe einer Lupe – zu betrachten: Ein glockenförmiger, fünfzähliger Kelch umschließt die zweiseitig-symmetrische Blumenkrone, die bei der Goldnessel goldgelb gefärbt ist. Man kann eine Oberlippe und eine Unterlippe unterscheiden und rechnet die Pflanze deshalb zu den Lippenblütlern *(Labiatae)*. Typisch ist ferner der vierkantige Stengel und die kreuzgegenständig angeordneten Blätter. Die Art kommt auf frischen, nährstoffreichen Böden in krautreichen Laub- und Nadelmischwäldern überall häufig vor. Nahe verwandt ist die Gefleckte Taubnessel *(L. maculatum)*, die man an Waldrändern und Bachufern antreffen kann.

Waldsauerklee *Oxalis acetosella*

Der Waldsauerklee hat mit den verschiedenen Kleearten lediglich die Form der Blätter gemeinsam, steht aber systematisch anders. Die Blätter wachsen aus einem Wurzelstock hervor und enthalten sehr viel Oxalsäure, die ihnen den säuerlichen Geschmack verleiht. Die Pflanze kommt auf frischen, nährstoffreichen Böden vor. Als ausgesprochene Schattenpflanze ändert sie bei starker Einstrahlung die Stellung ihrer Blätter und verkleinert die assimilierende Fläche. Der Waldsauerklee blüht im April/Mai.

Bärlauch *Allium ursinum*

Auf feuchten, nährstoffreichen Lehm- und Tonböden finden wir ziemlich häufig und dann meist auch gesellig wachsend den Bärlauch, eine mit der Küchenzwiebel nahe verwandte Pflanze. Aus der im Boden überdauernden, länglichen Zwiebel wachsen 1 bis 2 deutlich gestielte Blätter hervor. Wie bei fast allen einkeimblättrigen Pflanzen *(Monocotyledoneae)* laufen auch bei ihnen die Blattadern parallel. Insgesamt haben sie breit-elliptische Form; sie sind 2 bis 5 cm breit. Von April bis Juni blüht der Bärlauch; die zu einer Scheindolde vereinigten, sternförmigen, weißen Blüten sind leicht zu erkennen. Noch leichter erkennt man die Pflanze aber am typischen Geruch nach Zwiebel oder Knoblauch. Der Geruch wird besonders deutlich, wenn man einzelne Pflanzenteile zwischen den Fingern zerreibt. Aber man riecht in einem Auenwald oder einem feuchten, schattigen Laubwald auch schon von weitem, ob dort Bärlauch vorkommt oder nicht. Bärlauch wird 15 bis 30 cm hoch.

Schattenblume *Maianthemum bifolium*

Die Schattenblume kommt vor allem in relativ artenarmen Laub- und Nadelwäldern auf frischen, nährstoffarmen, sauren Böden vor. Ihre Verbreitung erstreckt sich zwar weit über die nördliche gemäßigte Zone, aber die Pflanze ist eigentlich nirgends häufig. Aus einem im Boden überdauernden Wurzelstock wächst der bis zu 15 cm hohe Sproß empor. Charakteristisches Kennzeichen sind die beiden wechselständig angeordneten, dunkelgrünen Blätter. Die Blätter sind ganzrandig und herzförmig; sie stehen an einem kurzen Stiel. Im Mai/Juni trägt die Pflanze kleine, weiße Blüten, die sich in einer endständigen Traube über die Blätter erheben. Dann kann man die Pflanze eigentlich mit keiner anderen Art verwechseln. Im Herbst machen die beiden Blätter und die dann ausgebildeten roten Früchte das Erkennen leicht.

Maiglöckchen *Convallaria majalis*

Das Maiglöckchen ist eine ausdauernde Pflanze, die mit einem Wurzelstock im Boden überwintert. Aus ihm wachsen im Frühjahr die tütenförmig eingerollten Blätter hervor, die sich nach und nach entfalten. Im Mai/Juni blüht das Maiglöckchen. Die weißen, glockenförmigen Blüten hängen in einer Traube; sie duften sehr intensiv. Im Herbst fallen die roten Beeren auf. Das Maiglöckchen finden wir auf mäßig trockenen, mäßig nährstoffreichen Böden in lichten Laub- und Mischwäldern. Die giftige Pflanze ist über fast ganz Europa verbreitet.

Vielblütige Weißwurz *Polygonatum multiflorum*

Auf frischen, nährstoffreichen Lehmböden findet man in krautreichen Buchen-, Eichen- und Nadelmischwaldgesellschaften die Vielblütige Weißwurz. Die bis zu 70 cm hohe, schattenliebende Pflanze überdauert mit einem kräftigen Wurzelstock, aus dem der runde Stengel emporwächst. Er trägt elliptisch-eiförmige, wechselständig angeordnete Blätter. Im Mai/Juni hängen in den Blattachseln Gruppen von je 2 bis 5 weißlich-grünen Glockenblüten. Später bilden sich die dunkelblauen Früchte aus. Nahe verwandt ist das Salomonssiegel *(P. odoratum),* das einen kantigen Stengel besitzt und bei dem Blüten meist einzeln, manchmal auch zu zweit in den Blattachseln hängen.

Einbeere *Paris quadrifolium*

Die Einbeere ist eine einkeimblättrige Pflanze aus der Familie der Liliengewächse *(Liliaceae).* Sie überwintert mit einem Wurzelstock, aus dem der bis zu 40 cm hohe Stengel emporwächst. Er trägt oben einen Blattquirl aus meist 4 waagerecht abstehenden Blättern. Im Mai/Juni erscheint oberhalb dieses Blattquirls die unscheinbare Blüte. Im Juli/August sind die Früchte reif, blauschwarze, kirschgroße Beeren. Die Einbeere kommt in feuchten, schattigen Laub- und Mischwäldern fast in ganz Europa vor.

Aronstab *Arum maculatum*

In krautreichen Laub- und Mischwäldern und in Auwäldern kommt der Aronstab auf frischen, nährstoffreichen Lehm- und Tonböden fast überall in Europa vor. Bei dieser Pflanze ist besonders der Blütenbau interessant. Im April/Mai erscheint zwischen den langgestielten, breit-pfeilförmigen Blättern die weißlich-grüne, tütenförmige Blütenscheide, in der – wenn sie sich öffnet – der bräunlich-rote Endabschnitt des Blütenkolbens sichtbar wird. Die Blütenscheide ist am unteren Ende bauchig erweitert und hüllt die Blüten ein. Am Eingang zu diesem Kessel stehen sterile Hindernisblüten, die Insekten zwar hineinlassen, aber nicht wieder hinaus. Nach unten folgen die männlichen Blüten, und ganz unten sitzen die weiblichen Blüten. Vom Aasgeruch der Blüten angelockte Insekten bestäuben nun die weiblichen Blüten. Dann nehmen sie Blütenstaub aus den inzwischen gereiften, männlichen Blüten mit, die Hindernisblüten welken, und die Insekten können zu anderen Aronstabpflanzen fliegen, um diese zu bestäuben.

Nestwurz *Neottia nidus-avis*

Auf dieser und der folgenden Seite werden einige der heimischen Orchideen vorgestellt, die auf jeden botanisch Interessierten einen besonderen Reiz ausüben. Die Nestwurz ist auf humusreichen Lehmböden in Buchenwäldern, aber auch in Eichen- und Kiefernmischwäldern fast überall in Europa häufig. Die bis zu 40 cm hohe Pflanze fällt sofort durch das Fehlen des für Pflanzen typischen Blattgrüns auf. Die Pflanze kann es sich leisten, fast ganz auf Chlorophyll zu verzichten, denn sie ernährt sich dadurch, daß sie auf Pilzen, die im Waldboden leben, schmarotzt. Die Nestwurz blüht von Mai bis Juli. Ihren Namen bekam sie von dem wie ein Vogelnest wirkenden Wurzelstock, mit dem die Pflanze auch den Winter überdauert. Aber bitte nicht ausgraben und nachsehen; alle heimischen Orchideenarten stehen unter Naturschutz, und die meisten sind ohnehin schon selten geworden!

Breitblättrige Sumpfwurz *Epipactis helleborine*

An ähnlichen Stellen wie die Nestwurz findet man auch die Breitblättrige Sumpfwurz. Diese Orchidee wird bis zu 80 cm hoch und gehört zu den stattlichsten Arten in Europa überhaupt. Am Stengel sitzen in schraubiger Anordnung 4 bis 10 breit-eiförmige Blätter. Oben geht der Stengel in den Blütenstand über. Die Einzelblüten sollte man sich einmal – am besten mit einer Lupe – genauer ansehen. Die Blüten der Orchideen gehören zu den schönsten in der heimischen Flora!

Weißes Waldvöglein *Cephalanthera damasonium*

In lichten Laub-und Mischwäldern findet man auf Kalkböden das Weiße Waldvöglein in weiten Teilen Europas, von ebenen Lagen bis in etwa 1300 m Höhe. Die Pflanze wird bis zu 60 cm hoch. Die 3 bis 8 weißlichgelblichen Blüten stehen in einer lockeren Traube. Die Stengelblätter sind eiförmig; dieses Kennzeichen ist wichtig, da es in Europa noch das ebenfalls weiß blühende Schwertblättrige Waldvöglein *(C. longifolia)* gibt, das aber lanzettliche Blätter besitzt.

Rotes Waldvöglein *Cephalanthera rubra*

Das Rote Waldvöglein sieht im Habitus der vorigen Art ähnlich, es hat aber schmale, spitze Blätter und rote Blüten. Die Standortsansprüche gleichen etwa dem, was für das Weiße Waldvöglein gesagt wurde. Die Pflanze blüht von Mai bis Juli.

Frauenschuh *Cypripedium calceolus*

Der Frauenschuh ist wohl die schönste Orchidee Europas. Leider ist die Pflanze selten geworden, denn bei Eingriffen in die Landschaft durch Straßen- und Wohnungsbau, land- und forstwirtschaftliche Maßnahmen etc. wird eben nicht nur verschiedenen Tierarten der Lebensraum genommen, sondern auch vielen Pflanzen. Und gerade die Orchideen sind stark gefährdet. Die im Wald vorkommenden Arten sind noch etwas besser dran als die auf mageren Wiesen wachsenden, die bei Düngung dieser Flächen zugrundegehen.

Den Frauenschuh findet man auf mäßig frischen, meist kalkhaltigen Lehm- und Tonböden im Halbschatten von lichten Laub-und Nadelwäldern. Meist kommt er in einer gut ausgebildeten Krautschicht vergesellschaftet mit anderen Bodenpflanzen vor. Und man wird ihn auch fast immer herdenweise wachsend antreffen. Der rundliche, kurz behaarte Stengel wird bis zu 60 cm hoch. Auf den breit-elliptischen Blättern fallen die stark betonten Längsnerven auf.

Von Mai bis Juli blüht der Frauenschuh. Meist stehen nur 1 oder 2 Blüten an einem Stengel, selten auch 3. Interessant ist der Bau der Blüten: Orchideenblüten sind zweiseitig symmetrisch gebaut, d. h. wenn man eine gedachte Linie längs durch die Blüte legt, ergeben sich zwei spiegelbildliche Hälften. Die Blütenhülle setzt sich aus 6 einzelnen Blättern zusammen, die aber sehr unterschiedliche Form haben können. Beim Frauenschuh sehen sich nun die 3 Blätter des äußeren und 2 Blätter des inneren Kreises der Blütenhülle sehr ähnlich. Dies sind nämlich die rotbraunen Zipfel, die den Pantoffel – das dritte Blatt des inneren Kreises – einrahmen, wobei die Blätter des äußeren Kreises z. T. miteinander verwachsen sind. Der 3 bis 4 cm lange Pantoffel ist eine Kesselfalle: Insekten, die die Blüten besuchen, fallen hinein und müssen, um wieder ins Freie zu gelangen, an der Narbe und an den Pollinien vorbei. Das mit Pollen beladene Insekt streift den Blütenstaub dann an der nächsten Frauenschuhblüte wieder ab.

Der Frauenschuh ist über Zentraleuropa verbreitet, aber nirgends häufig. An vielen Stellen, wo er noch vor wenigen Jahrzehnten vorkam, ist er heute ausgerottet.

Gemeiner Wurmfarn *Dryopteris filix-mas* (Abb. oben)

Der Gemeine Wurmfarn ist einer der häufigsten einheimischen Farne und zudem über ganz Europa verbreitet. Er ist ein Anzeiger für frischen, nährstoffreichen Lehmboden mit guter Humusbildung. Man findet ihn in Laub-, Misch- und Nadelwäldern mit einer gut ausgebildeten Krautschicht. Der Farn besitzt einen umfangreichen, ausdauernden Wurzelstock, aus dem jedes Jahr die neuen Farnwedel emporwachsen. Die jungen Wedel sind zunächst spiralig eingerollt und von braunen Spreuschuppen bedeckt. Nach und nach entfalten sie sich, wobei sie zeitweise wie Bischofsstäbe aussehen und auch so genannt werden. Ausgewachsene Wedel werden beim Wurmfarn bis zu 1,40 m lang. Die Blätter sind auf der Oberseite dunkler grün gefärbt als auf der Unterseite. Insgesamt sind die Wedel doppelt gefiedert, d. h. jede einzelne Fieder ist selbst nochmals gefiedert. Blüten suchen wir beim Wurmfarn vergeblich, er ist eine Sporenpflanze. Auf der Wedelunterseite werden – eingehüllt von einem häutigen Schleier – die Sporangien angelegt, die für die Bestimmung der Farne ein wichtiges Merkmal darstellen. Werden die Sporen reif, platzen die Sporenbehälter auf. Aus den vom Wind weit verbreiteten Sporen wachsen pfenniggroße Vorkeime (Prothallien), auf denen die geschlechtliche Fortpflanzung abläuft. Aus einer befruchteten Eizelle wächst dann wieder eine sporentragende Farnpflanze heran. Man spricht hier von einem Generationswechsel, also einem Wechsel zwischen der sich ungeschlechtlich fortpflanzenden Sporengeneration und der Generation, die sich geschlechtlich fortpflanzt. Die eigentliche Farnpflanze stellt die Sporengeneration, der winzige Vorkeim die geschlechtliche Generation dar.

Gemeiner Tüpfelfarn, Engelsüß *Polypodium vulgare*

Auch der Tüpfelfarn zeigt einen ganz ähnlichen Generationswechsel wie der Wurmfarn, nur sehen die Sporangien etwas anders aus; auch die Farnwedel haben eine andere Form. Die Wedel – die übrigens im Winter grün bleiben – sind auch gefiedert, aber nur einfach. Dieser Farn ist daher leicht zu erkennen. Er ist typisch für lichte, artenarme Eichenwälder, wächst aber nicht nur auf dem – mäßig-trockenen, kalkarmen – Waldboden, sondern auch auf Felsen und – als sogenannter Epiphyt – am Fuß alter, bemooster Bäume, manchmal auch höher über dem Erdboden am bemoosten Stamm.

Schlangenbärlapp *Lycopodium annotinum*

Die Bärlappe werden vielfach übersehen oder für etwas anderes – etwa ein Moos – gehalten. Hinzu kommt, daß sie recht selten sind und ihre Fundorte zerstreut liegen. Der Schlangenbärlapp ist noch eine relativ häufige Art, der man in Fichten-, Kiefern- und Birkenwäldern begegnen kann. An den Untergrund stellt die Pflanze den Anspruch, daß dieser frisch, nährstoffarm und sauer sein muß. Von ebenen Lagen bis in etwa 1900 m Höhe kann man sie an den entsprechenden Standorten antreffen. Typisch sind die schmalen, nadelartigen Blättchen, die unregelmäßig verteilt am Stengel sitzen. Die Stengel kriechen über weite Strecken am Boden entlang, die Äste jedoch, die die Sporangien tragen, stehen aufrecht. Die Sporenähren werden etwa 4 cm lang und etwa 3 mm dick. Der Schlangenbärlapp ist immergrün und mehrjährig. – In trockenen Misch- und Nadelwäldern findet man auch den Keulen-Bärlapp *(L. clavatum)*, den man daran erkennen kann, daß seine Sporenähren an einem nur wenig beblätterten Ast sitzen. Für Fichtenwälder und Bergkiefernbestände ist der Tannenbärlapp *(L. selago)* kennzeichnend, bei dem die Sporenbehälter aber nicht in einer Ähre vereinigt sind, sondern in den Achseln der Stengelblätter sitzen.

Waldschachtelhalm *Equisetum silvaticum*

Die Schachtelhalme, die Bärlappe und die Farne bilden zusammen eine große systematische Einheit im Pflanzenreich, die Abteilung der Farnpflanzen *(Pteridophyta)*. Als vielleicht wichtigstes Kennzeichen ist allen Pflanzen dieser Gruppe das Fehlen von Blüten gemeinsam. Es werden vielmehr Sporen ausgebildet, aus denen Pflänzchen hervorgehen, die Geschlechtszellen bilden. – Blüten weist demnach auch der Waldschachtelhalm nicht auf. Von einem überdauernden, unterirdischen Wurzelstock wachsen im Frühjahr unverzweigte, bleich-bräunliche Stengel hoch, die am Ende jeweils eine Sporenähre tragen. Nach dem Reifen der Sporen und ihrer Verbreitung ergrünen die vorher bleichen Stengel und bilden verzweigte, in Quirlen stehende, feine Seitenäste aus. Alle oberirdischen Teile sind aus ineinandergeschachtelten Abschnitten aufgebaut, daher der Name Schachtelhalm. Der Waldschachtelhalm tritt ziemlich häufig auf nassen, kalkarmen Böden in verschiedenen Waldgesellschaften auf, so in moosigen Fichtenwäldern, in Eichen-Hainbuchen-Wäldern und in Auwäldern. Er liebt halbschattige oder schattige Standorte und kommt vom Tiefland bis in Höhen von über 1500 m vor, hat aber einen Schwerpunkt in montanen bis subalpinen Lagen.

Weißmoos *Leucobryum glaucum*

Moose stellen systematisch wiederum eine andere Einheit dar als die Farne, Bärlappe und Schachtelhalme; man stellt sie in eine eigene Abteilung, die der *Bryophyta.* Da sie noch keine ausgeprägten Leit- und Festigungsgewebe besitzen, bleiben Moose klein; sie erheben sich nur wenige Zentimeter über den Boden. Moose besitzen auch keine Wurzeln, nur wurzelähnliche sogenannte Rhizoide, mit denen sie sich oberflächlich auf dem Boden verankern. Die Wasseraufnahme erfolgt zum größten Teil über die Blätter. Trotz ihres einfachen Baues und ihrer geringen Höhe spielen Moose in den Waldgesellschaften eine wichtige Rolle. Sie vermögen nämlich bei Niederschlägen Wasser in größeren Mengen aufzunehmen, um es langsam wieder an die Umgebung abzugeben. Die Moose tragen also zu dem ausgeglichenen Klima in einem Wald bei.

Das Weißmoos ist an seiner blaugrünen Färbung und dem dichten Polsterwuchs leicht zu erkennen. Die Färbung geht bei Trockenheit mehr und mehr in weiß über. Die Polster können einen Durchmesser von bis zu 50 cm und eine Höhe von bis zu 15 cm haben. Man findet dieses Moos in sauren, feuchten Nadel-, Buchen- und Eichenwäldern. Es ist auf der Erde weit verbreitet.

Frauenhaarmoos, Bürstenmoos *Polytrichum*-Art

Dieses Moos wird bis zu 40 cm hoch; es ist damit eines der größten Moose, die in Mitteleuropa vorkommen. Die einzelnen Moospflänzchen stehen in dichten Rasen zusammen. Wenn genügend Feuchtigkeit vorhanden ist, stehen die Blättchen waagerecht, bei Trockenheit legen sie sich fast an den Stengel an. Von der Gattung *Polytrichum* gibt es eine Vielzahl sehr ähnlicher Arten, deren Bestimmung nur dem Spezialisten möglich ist.

Becherflechte *Cladonia*-Art

Flechten sind aus Pilzfäden und dazwischenliegenden Algen aufgebaut. Beide sind eine Symbiose eingegangen, ein Zusammenleben zu beiderseitigem Nutzen. Von den Pilzen stammen Wasser und Nährsalze, von den Algen die durch Photosynthese aufgebauten organischen Substanzen. Beide zusammen bilden nun einen ganz neuen Organismus, der bei den verschiedenen Flechtenarten ganz unterschiedlich aussehen kann. Flechten können die verschiedensten Standorte besiedeln. Eine häufige Gattung ist *Cladonia.*

Grüner Knollenblätterpilz *Amanita phalloides*

Pilze haben im Wald eine wichtige Funktion; sie bauen tote organische Substanz – abgestorbene Pflanzen, Fallaub, Tierleichen, Kot etc. –, die dem Boden aufliegt, ab. Durch ihre Tätigkeit gelangen die in ihr enthaltenen Nährsalze wieder in den Boden und stehen damit anderen Pflanzen zur Verfügung. Viele Pilze leben außerdem in Symbiose mit anderen Pflanzen, z. T. auch mit Bäumen. Die einzelnen Pilzfäden – die Hyphen – umspinnen die Wurzeln der Bäume; ein Teil der Hyphen dringt in die Wurzeln ein. Man spricht hier von einer Mykorrhiza. Der Pilz bezieht aus den Wurzeln durch Photosynthese von den Bäumen aufgebaute organische Verbindungen, vor allem Zucker, der Baum erhält Nährsalze und Wasser. Pilze enthalten ja kein Chlorophyll und können deshalb auch keine Photosynthese treiben. Die im Boden liegenden Pilzfäden können sich zu Fruchtkörpern verflechten, die wir dann oberirdisch als Pilze oder »Schwämme« sehen können. An ihnen bilden sich Sporen aus, die vom Wind verbreitet werden.
Der Grüne Knollenblätterpilz zählt zu den giftigsten Arten überhaupt. Seine Kennzeichen sind der mit einer grünlichen Haut überzogene Hut, die rein weißen Lamellen auf der Hutunterseite, der unten knollig verdickte Stiel und die am Stiel hängende Manschette. Der Pilz wird bis zu 15 cm hoch und erreicht einen Durchmesser von ebenfalls bis zu 15 cm. Man findet ihn von Juli bis Oktober in Eichen- und Buchenwäldern.

Fliegenpilz *Amanita muscaria*

Der Fliegenpilz ist mit den Knollenblätterpilzen nahe verwandt und ebenfalls sehr giftig. Die Kennzeichen sind der rote Hut mit den weißen Flecken, die die Reste der Hülle des sich entwickelnden Pilzes darstellen, und der unten gleichfalls knollig verdickte Stiel mit der weißen Manschette. Man findet den Pilz vom Sommer bis in den Herbst hinein, besonders in Nadelwäldern, aber auch unter Birken. Er ist auf der gesamten nördlichen Halbkugel von ebenen bis in hohe Lagen verbreitet.

Fichtenreizker *Lactarius semisanguifluus*

In Fichtenbeständen findet man diesen Blätterpilz häufig. Der Hut erreicht einen Durchmesser von bis zu 15 cm. Er ist zunächst flach, dann mehr oder weniger trichterförmig, zunächst rötlich, dann grünlich gefärbt. Der Stiel ist innen hohl. Der Pilz ist eßbar.

Stockschwämmchen *Kuehneromyces mutabilis*

Das Stockschwämmchen ist über die gesamte nördliche Halbkugel verbreitet. Der Pilz wächst gesellig auf vermoderndem Holz. Bevorzugt besiedelt werden die Stümpfe von Laubbäumen, selten die von Nadelbäumen. Der bucklige Hut wird bis zu 6 cm im Durchmesser groß und kann – je nach Wassergehalt – in der Farbe von gelblich bis zimtfarbig variieren. Die Lamellen sind bei ausgewachsenen Exemplaren ebenfalls zimtfarben, vorher blasser gefärbt. Das eßbare Stockschwämmchen ist fast das ganze Jahr über zu finden. – Auf Baumstümpfen wächst auch der Grünblättrige Schwefelkopf *(Hypholoma fasciculare),* der dem Stockschwämmchen recht ähnlich sieht, aber giftig ist.

Pfifferling *Cantharellus cibarius*

Der Pfifferling ist einer der bekanntesten Pilze überhaupt. Er ist eben ein wohlschmeckender, geschätzter Speisepilz. Der bis zu 5 cm große Hut ist zunächst gewölbt, später trichterförmig eingesenkt und normalerweise dottergelb gefärbt. Auf der Unterseite des Hutes laufen dicke Leisten zum Stiel und an diesem noch ein Stück herunter. Der Pfifferling wächst – besonders in Nadelwäldern – auf der ganzen nördlichen Halbkugel. In Gebieten, wo viel gesammelt wird, ist dieser ansonsten häufige Pilz bereits selten geworden.

Steinpilz *Boletus edulis*

Der Steinpilz gehört in die Gruppe der Röhrenpilze; auf der Hutunterseite sieht man senkrecht angeordnete Röhren, in denen die Sporen gebildet werden. Der Pilz ist über ganz Europa verbreitet und kommt sowohl im Laub- wie im Nadelwald vor. Man erkennt ihn an der grauen bis braunen Hutoberseite und den zunächst weißen, später gelben Röhren. Man findet ihn von Juli bis in den November hinein. Um die großen Städte herum ist dieser bekannte und geschätzte Speisepilz annähernd ausgerottet.

Rotkappe *Leccinum testaceo-scabrum*

Die eßbare Rotkappe ist in Europa weit verbreitet. Daneben kommt sie auch in Asien und Nordamerika vor. Der Pilz wird bis zu 20 cm hoch und trägt einen orangefarbenen Hut; die Röhren sind grau gefärbt. Der weißliche Stiel ist dicht mit schwarzen Schuppen besetzt. Der Pilz ist an Birken gebunden, mit denen ihn eine Mycorrhiza verbindet.

Weinbergschnecke *Helix pomatia*

Die Weinbergschnecke ist über Mittel- und Südosteuropa verbreitet und kommt hier an Waldrändern und in lichten, feuchten Laub- und Mischwäldern, aber auch in Gärten und Parks, in Wiesen und Weinbergen häufig vor. Sie ist wegen ihrer Größe – sie ist mit einem Gehäusedurchmesser von rund 5 cm die größte einheimische Landschnecke überhaupt – sehr auffällig. Das Gehäuse ist bräunlich gefärbt. Bei den jungen Schnecken besteht es nur aus 2 Umgängen. Dann werden – entsprechend dem Wachstum der Schnecke – am Mündungsrand Zuwachsringe angelegt, so daß ein altes Tier ein Gehäuse mit 5 Windungen besitzt. Das Gehäuse erfüllt für die Schnecke eine doppelte Funktion. Einmal kann sie sich bei Gefahr darin zurückziehen und sich so vor dem Gefressenwerden schützen, zum anderen kann sie darin ungünstige Bedingungen überdauern. Bei Trockenheit verschließt ein erstarrendes Schleimhäutchen die Öffnung und schützt die Schnecke – die ja ein Feuchtlufttier ist – vor übermäßigem Wasserverlust. Im Winter wird das Gehäuse durch einen porösen Kalkdeckel verschlossen. Die Schnecke macht dann eine Winterstarre durch, die bis in das Frühjahr andauert. Bei der kriechenden Schnecke fällt der langgestreckte, hellbraun gefärbte Fuß auf, auf dem sie – unterstützt durch einen vom Fuß ausgeschiedenen Schleimfilm – dahingleitet. Über die Sohle verlaufen wellenartige Muskelbewegungen, die das Tier langsam fortbewegen. Am Kopf fallen 2 Paar Fühler auf: Die oberen langen Fühler tragen die Augen, die kurzen unteren tragen Geruchsorgane. Nimmt man eine Schnecke hoch, dann sieht man oberhalb des Fußes am Gehäuserand das Atemloch, das zur Atemhöhle führt. Die Weinbergschnecke ist eine Lungenschnecke.

Rote Wegschnecke *Arion rufus*

Bei feuchtem Wetter wird man in Wäldern verschiedener Typen auch regelmäßig einer anderen auffälligen Schnecke begegnen, der Roten Wegschnecke. Im Gegensatz zur Weinbergschnecke besitzt sie kein Gehäuse. Erwachsene Tiere werden bis zu 15 cm lang und bis zu 2 cm breit. Der ziegelrote Körper ist in Längsrichtung kräftig gerunzelt. Im vorderen Bereich fällt der glattere Mantelschild auf, in dem das Atemloch liegt, bei der Familie der Wegschnecken *(Arionidae)* vor der Mitte dieses Schildes, bei den nahe verwandten Egelschnecken *(Limacidae)* hinter der Mitte. Die Rote Wegschnecke ist über Mittel- und Westeuropa verbreitet.

Holzbock, Zecke *Ixodes*-Art

Mit Zecken wird wohl jeder Waldspaziergänger schon einmal in Berührung gekommen sein. Diese 1 bis 2 mm langen Spinnentiere tragen 4 Beinpaare und am Kopf einen langen Saugrüssel mit Widerhaken an der Spitze. Das Tier läßt sich von Sträuchern und Bäumen aus auf Säugetiere, aber auch auf Menschen fallen und bohrt sich mit dem Rüssel in die Haut ein, um Blut zu saugen. Vollgesogen erreicht das Tier etwa die Größe einer Erbse. Es läßt sich dann zu Boden fallen. Zeckenstiche erzeugen einen starken Juckreiz. Man sollte die Tiere daher sofort entfernen, dabei aber darauf achten, daß der Saugrüssel oder gar der ganze Kopf nicht in der Haut steckenbleibt und dort Entzündungen verursacht.

Gartenkreuzspinne *Araneus diadematus*

Diese wohl bekannteste Spinne ist über ganz Europa verbreitet und kommt in den verschiedensten Lebensräumen häufig vor. Der typischen Kreuzzeichnung verdankt sie ihren Namen. Kreuzspinnen bauen kreisrunde Netze von ungefähr 30 cm Durchmesser: Zunächst entsteht der Rahmen, der zwischen Zweigen aufgehängt wird. Dann werden die Speichen eingezogen und anschließend die Spirale aus klebrigen Fangfäden. Die Spinne sitzt meist im Zentrum des Netzes oder lauert in der Nähe in einem Versteck. Bei Erschütterung durch ein gefangenes Beutetier kommt sie sofort an die entsprechende Stelle im Netz und lähmt die Beute durch einen Biß.

Schnurfüßler *Julus*-Art

Den Schnurfüßler stellen die Systematiker in die Gruppe der Tausendfüßler *(Myriapoda)*. Der langgestreckte Körper glänzt dunkelbraun oder schwarz. Charakteristisch ist, daß der Körper des Tieres in einzelne Ringe gegliedert ist, von denen mit Ausnahme der 4 ersten und des letzten jeder 2 Beinpaare trägt. Die Tiere leben vor allem unter faulender Baumrinde; bei Gefahr rollen sie sich spiralig zusammen.

Saftkugler *Glomeris*-Art

Nahe verwandt mit dem Schnurfüßler ist der Saftkugler. Er rollt sich bei Gefahr zu einer erbsengroßen Kugel zusammen, in der Beine und Fühler verborgen sind. Saftkugler findet man vor allem im Laubwald in der Streuschicht. Sie leben von vermodernden Blättern.

Lederlaufkäfer *Carabus coriaceus*

Käfer kann man allgemein an folgenden Merkmalen erkennen: Der Körper ist – wie bei allen Insekten – in Kopf, Brust und Hinterleib gegliedert. Jeder Teil ist aus Segmenten aufgebaut. Am Kopf sitzen die Mundwerkzeuge und verschiedene Sinnesorgane. Das dreiteilige Bruststück trägt die 3 Beinpaare, die beiden hinteren Segmente tragen je ein Paar Flügel. Bei den Käfern sind die Vorderflügel sehr hart. Diese »Deckflügel« bedecken die häutigen Hinterflügel, mit denen Käfer fliegen. Beim Lederlaufkäfer sind die Vorderflügel allerdings miteinander verwachsen, er kann also nicht mehr fliegen. – Er ist mit einer Körperlänge von fast 4 cm einer der größten einheimischen Käfer überhaupt. Sein Name bezieht sich auf die mattschwarzen, lederartig gerunzelten Vorderflügel, die den gesamten Hinterleib überdecken. Tagsüber hält sich der Käfer unter Steinen versteckt, in der Dämmerung geht er dann auf Jagd. Käfer und Larve fressen andere Insekten, gehen aber auch an Aas. Die Käfer halten im Juni/Juli einen Sommerschlaf.

Buchdrucker *Ips typographus*

Der Buchdrucker gehört in die von allen Forstleuten gefürchtete Familie der Borkenkäfer *(Ipidae),* die größte wirtschaftliche Bedeutung haben. Zwar geht der hier besprochene Buchdrucker in erster Linie an kranke oder abgestorbene Bäume, er geht bei Massenvermehrung aber auch auf gesunde Bäume über. Der Buchdrucker befällt besonders Fichten, unter deren Rinde die Weibchen Fraßgänge anlegen, an denen rechts und links Nischen abgehen, in die die Eier gelegt werden. Die Larven fressen nun ihrerseits weitere Gänge in das Holz. Die aus den Puppen geschlüpften Käfer bohren ein rundes Flugloch in die Rinde, um ins Freie zu gelangen. An gefällten Bäumen sieht man häufig die Fraßmuster verschiedener Borkenkäferarten.

Mistkäfer *Geotrupes*-Art

Auf jedem Waldspaziergang wird man den langsam dahinlaufenden, blauschwarz schimmernden Mistkäfer beobachten können. Der bis zu 2,5 cm lange Käfer wittert schon aus großer Entfernung tote Tiere und Kot. Darunter gräbt er ein Gangsystem in den Boden, das er mit Kot ausfüllt. In den Kot werden die Eier abgelegt. Die Larven ernähren sich davon eine Zeit lang und verpuppen sich dann. Erst die fertigen Käfer verlassen ihre unterirdische Behausung. Mistkäfer treiben also eine intensive Brutpflege.

Moschusbock *Aromia moschata*

30000 Arten von Bockkäfern gibt es auf der Erde. Man erkennt Käfer dieser Familie allgemein an ihrer langgestreckten, schmalen Gestalt und den sehr langen Fühlern, die oftmals länger sind als der Körper selbst. Bockkäfer fliegen gut und auch recht häufig. Den Moschusbock erkennt man an seinem nach hinten schmaler werdenden Hinterleib und an seiner insgesamt schwarzblauen Färbung, die aber durch einen metallischen blaugrünen oder goldenen Glanz überlagert wird. Der Körper wird über 3 cm lang. Man findet diesen Käfer besonders auf Weidenbäumen; am ehesten wird man daher in Auwäldern mit ihm rechnen können. Drüsen im Brustabschnitt scheiden ein Sekret aus, das angenehm nach Moschus duftet. Dieser Duft hat dem Käfer seinen Namen eingetragen.

Maikäfer *Melolontha melolontha*

Es ist schon fast vermessen, diesen neben dem Marienkäfer wohl bekanntesten Käfer zu erwähnen, denn viele Menschen kennen ihn nur noch aus Zeiten, die schon fast ein Jahrzehnt zurückliegen. Heute sucht man die Maikäfer in vielen Laubwäldern vergeblich. Die erwachsenen Käfer können bei Massenvermehrung ganze Wälder entlauben. Kein Wunder, daß man sie rigoros mit chemischen Mitteln bekämpft hat. Diese Maßnahmen sind sicher ein Grund dafür, daß der Maikäfer heute so selten geworden ist. Seine Gestalt und Färbung brauchen wohl kaum beschrieben zu werden. Hier sei die Entwicklung des Käfers erwähnt: Ende Mai/Anfang Juni graben sich die begatteten Weibchen in die Erde und legen dort etwa 70 Eier ab, aus denen dann die Engerlinge schlüpfen. Diese Larven ernähren sich von den Wurzeln verschiedener Pflanzen und können – wenn sie in großen Mengen auftreten – ebenfalls enormen Schaden anrichten. Im Sommer des dritten Jahres verpuppen sich die Larven. Aus der Puppe schlüpft im Herbst der fertige Käfer, der aber noch den Winter im Boden überdauert. Erst im folgenden Frühjahr kriechen die fertigen Käfer an die Oberfläche. Auf Grund diese Entwicklungszyklus kommt es in Abständen zu sogenannten Maikäferjahren, in denen die Käfer früher massenhaft auftraten.

Schlupfwespen *Ichneumonidae*

Neben den Käfern sind die Hautflügler *(Hymenoptera)* eine wichtige Ordnung innerhalb der Klasse der Insekten. Das vielleicht wichtigste Insekt aus dieser Gruppe ist die Honigbiene. Neben den Bienen gehören noch die Hummeln, Wespen, Ameisen und weitere Gruppen zu den Hautflüglern. Diese Insekten besitzen 4 häutige Flügel. Schlupfwespen wiederum kann man an ihrer schlanken, wespenartigen Gestalt relativ gut erkennen. Der Körper ist meist farbig gezeichnet. Außerdem haben sie lange Beine und Fühler, und bei den Weibchen fällt der lange Legeapparat sofort auf. – Schlupfwespen spielen bei der Aufrechterhaltung des biologischen Gleichgewichts in Waldgesellschaften eine große Rolle. Die erwachsenen Tiere leben zwar von Pollen und Nektar, ihre Larven entwickeln sich aber in anderen Tieren, vornehmlich in den Larven anderer Insekten, und hierunter sind wieder Schmetterlingsraupen deutlich bevorzugt. Haben die Weibchen eine Schmetterlingsraupe gefunden, dann stechen sie sie an und legen mit ihrem Legebohrer ein Ei oder mehrere in das Körperinnere ab. Die aus dem Ei schlüpfende Larve frißt zunächst von der Raupe angelegte Speicherstoffe, um danach langsam die Gewebe und Organe anzufressen. Auf diese Weise werden also viele Larven von Schadinsekten durch Schlupfwespen unschädlich gemacht. Wenn man sie in ausreichender Zahl züchten könnte, hätte man eine sinnvolle Methode biologischer Schädlingsbekämpfung in der Hand. Versuche in dieser Richtung werden gemacht.

Holzwespen *Siricidae*

Auch die Holzwespen gehören zu den Hautflüglern. Sie sehen auf den ersten Blick vielleicht Schlupfwespen ähnlich, sind aber weniger deutlich in Kopf, Brust und Hinterleib gegliedert. Die Tiere werden 1,5 bis 4 cm lang. Die Weibchen besitzen einen auffälligen Legebohrer, der das Hinterende ein gutes Stück überragt. Mit diesem Apparat stechen sie das Holz von – in der Regel kranken oder abgestorbenen – Nadelbäumen – meist Fichten oder Kiefern – an, um dort je gebohrtes Loch ein Ei abzulegen. Die schlüpfenden Larven können sich dann von dem sie umgebenden Holz ernähren, in das sie mehr oder weniger lange Gänge hineinfressen. Die Larven richten dadurch manchmal großen Schaden an. Sie verpuppen sich im Innern des Stammes und fliegen erst als Imagines ins Freie. Das Bild zeigt die Riesenholzwespe *(Paururus noctilio)*.

Rote Waldameise *Formica rufa*

In Nadelwäldern wird man regelmäßig die großen, kuppelförmigen Baue der Roten Waldameise sehen. Meist sind die Ameisenhaufen an trockenen, sonnigen Stellen am Waldrand angelegt. Die Waldameisen, die man in großer Zahl auf der Oberfläche des Haufens herumlaufen sieht, haben diese bis zu 1,50 m hohen Hügel aus Nadeln, kleinen Zweigen und Erde zusammengetragen. Oberirdisch erkennen wir aber nur einen kleinen Teil des Nestes; der größere Teil liegt unter der Erde und kann sich bis zu 2 m tief in den Boden ausdehnen.
In diesem gut organisierten Insektenstaat trifft man, wie bei den Bienen, verschiedene Bewohner an, die sich in ihrem Körperbau und in ihren Aufgaben unterscheiden. Die Mehrzahl sind Arbeiterinnen, unfruchtbare, verkümmerte Weibchen, die etwa 5 bis 8 mm lang werden und keine Flügel besitzen. Ihre Aufgaben sind Brutpflege, Nestbau und Nahrungsbeschaffung. Je nach Witterungsbedingungen und dem Alter von Eiern, Larven und Puppen müssen diese an bestimmte Stellen im Bau getragen werden. Die Larven müssen außerdem von den Arbeiterinnen mit Nahrung versorgt werden. Arbeiterinnen übernehmen auch Verteidigungsaufgaben. Ameisen besitzen zwar keinen Stachel, verspritzen aber Ameisensäure und können empfindlich beißen.
Zur Schwarmzeit im Frühjahr schlüpfen aus den Puppen die 9 bis 11 mm langen Geschlechtstiere, geflügelte Männchen und geflügelte Weibchen. Ameisen gehören zu den Hautflüglern! Im Mai/Juni sieht man gelegentlich die Ameisen auf ihrem Hochzeitsflug. Die befruchteten Weibchen brechen danach ihre Flügel ab und versuchen, an einer geeigneten Stelle selbst einen Ameisenstaat aufzubauen. Die Baue der Roten Waldameise beherbergen oft 100000 und mehr Individuen. Da sie verschiedene Schadinsekten – etwa die Raupen schädlicher Schmetterlingsarten – jagen, sind sie für die Ökologie der Wälder von großer Bedeutung. Man sieht deshalb die Ameisenhaufen manchmal mit einem Drahtnetz geschützt. Dies soll einmal gedankenlose Menschen daran hindern, mit einem Ast in den Haufen herumzustochern, zum anderen soll es Tiere fernhalten, die Ameisen fressen. Zu diesen gehören der Grünspecht und der Grauspecht, die als sogenannte Erdspechte besonders gerne die Ameisenpuppen mit ihrer langen, mit Widerhaken besetzten Zunge aus den Bauen herausholen und verzehren.

Grüne Stinkwanze *Palomena prasina*

Wanzen stellen eine weitere Ordnung innerhalb der Klasse der Insekten dar, die der Schnabelkerfe *(Rhynchota)*. Sie sind eine insgesamt recht vielgestaltige Tiergruppe; man kann sie aber generell an dem abgeplatteten Körper erkennen, der meist auch etwas gedrungen gebaut ist. Auf den ersten Blick nicht so leicht zu sehen ist, daß die Vorderflügel am Grund – ähnlich wie die Vorderflügel der Käfer – stark chitinisiert und nur an der Flügelspitze häutig ausgebildet sind. Zwischen den Vorderflügeln liegt ein dreieckiges Schildchen, das für viele Landwanzen kennzeichnend ist. Eine dieser typischen Landwanzen ist die Grüne Stinkwanze, die man in Laub- und Mischwäldern an Büschen und Bäumen beobachten kann. Aus dem Foto gehen Form und Färbung der Wanze gut hervor. Nicht zu sehen ist der Saugrüssel, der für die Wanzen ebenfalls kennzeichnend ist. Mit ihm stechen die Tiere Pflanzenstengel und Früchte an, deren Saft sie heraussaugen. Ihren Namen bekam diese Wanze wegen ihrer Stinkdrüsen an der Basis des zweiten und des dritten Beinpaares. Der Geruch ist ziemlich widerlich und penetrant.

Skorpionsfliege *Panorpa*-Art

Diese merkwürdig gebauten Insekten stellen wiederum eine andere Ordnung innerhalb ihrer Klasse dar. Man findet die bis zu 1,5 cm langen Tiere vom Mai bis in den Herbst hinein vor allem an Waldrändern oder in waldnahen Gebüschen. Die Stellen müssen nur relativ schattig und feucht sein. Auffällig sind bei diesen Tieren die dunkel gefleckten, in Ruhehaltung waagerecht stehenden Flügel und die langen Fühler. Die sichersten Kennzeichen sind aber die schnabelartig verlängerten Mundwerkzeuge – die ganze Gruppe heißt deshalb auch Schnabelfliegen *(Mecoptera)* – und – wenn man ein Männchen vor sich hat – das wie ein Skorpionsstachel aussehende Hinterleibsende, das nichts anderes als ein Begattungsorgan darstellt. – Skorpionsfliegen ernähren sich von toten Insekten, Spinnen und verwesenden Pflanzenteilen. Sie jagen aber auch kleine, lebende Insekten.

Pflanzengallen

An den verschiedensten Pflanzen fallen ab und zu eigentümliche Wucherungen auf, die ganz unterschiedliche Form haben können. Diese sogenannten Gallen treten hauptsächlich an Blättern und Stengeln auf. Ihre Bildung wird meist von Insekten ausgelöst, aber es sind auch Mikroorganismen und Pilze bekannt, die solche Veränderungen an der Wirtspflanze bewirken. Die Gallbildung wird also durch artfremde Organismen verursacht und stellt eine Reaktion der Pflanze auf diesen Organismus dar. Reagiert wird mit Wachstum, das örtlich und zeitlich begrenzt ist; Gallen haben meist eine ganz bestimmte Form. Die Gallenerreger greifen also auf im einzelnen noch nicht genau geklärte Weise in den Stoffwechsel der Wirtspflanze ein, so daß es zu lokalen Wachstumsprozessen kommt.

Unter den verschiedenen Insekten, die eine Gallbildung auslösen können, sind besonders Wespen, Mücken und Läuse hervorzuheben. Die Gallen stellen die »Kinderstube« dieser Insekten dar: Die Eier werden in Blätter oder Stengel abgelegt, und die Larven entwickeln sich dann in den sich ausformenden Gallen bis zum fertigen Tier. Das gewucherte Pflanzengewebe ernährt die Larven.

Bekannt sind die Eichengallen (Abb. oben links), kugelige Gebilde auf der Unterseite von Eichenblättern, die 1 bis 2 cm Durchmesser haben können. Im Sommer und Herbst sieht man diese Galläpfel recht häufig. Ihr Erreger ist die Eichengallwespe *(Cynips quercusfolii).* Die Weibchen legen ihre Eier in den Blattrippen ab. Um die Larve herum bildet sich die Galle, deren Wände der Larve als Nahrung dienen.

An den verschiedenen Wildrosenarten sieht man machmal rötlichgelbe, zottige Kugeln (Abb. oben rechts). Diese Gallen werden von der Rosengallwespe *(Diplolepis rosae)* verursacht. Diese Gallen weisen in ihrem Inneren mehrere Larvenkammern auf.

An Buchenblättern entdeckt man oft grünliche, im älteren Zustand auch rötliche, eiförmige Gallen (Abb. unten links). Hier ist der Erreger die Buchengallmücke *(Mikiola fagi).* Im Inneren entwickelt sich nur eine einzige Larve.

Schließlich findet man auch an Fichten Gallbildungen, die hier an den Enden der Zweige stehen und wegen ihrer Form Ananasgallen (Abb. unten rechts) genannt werden. Ihr Erreger ist die Rote Fichtengallaus *(Adelges laricis).* Diese Gallen enhalten wieder mehrere Larvenkammern.

Kleiner Fuchs *Aglais urticae*

Schmetterlinge sind heute schon recht selten geworden, zumindest im dicht besiedelten Mitteleuropa, wo viele Lebensräume dieser schönen Insekten ruiniert worden sind, Pflanzenschutzmittel die Futterpflanzen in Bestand dezimiert und auch die Falter selbst vernichtet haben. Schmetterlinge gehören also zur Klasse der Insekten und bilden hier eine eigene Ordnung, die der *Lepidoptera.* Wichtigste Kennzeichen sind die mit winzigen, flachen Schuppen bedeckten Flügel und der lange, einrollbare Saugrüssel. – Der Kleine Fuchs ist ein noch recht häufiger Tagfalter. Seine Flügelfärbung ist auf dem Foto gut zu erkennen. Der Falter ist über ganz Europa verbreitet und besiedelt hier offenes Gelände von der Ebene bis ins Hochgebirge. Man wird ihn auf einem Waldspaziergang am ehesten auf Waldlichtungen, Kahlschlägen und an Waldrändern antreffen. Der Kleine Fuchs fliegt als einer der ersten Schmetterlinge schon zeitig im Frühjahr. Die Raupen leben an Brennesseln. Sie sind schwarz gefärbt und tragen zahlreiche verästelte Dornen; auffällig sind gelbe Längsstreifen. – Ähnlich gefärbt wie der Kleine Fuchs ist der Große Fuchs *(Nymphalis polychloros),* der ebenfalls über den größten Teil Europas verbreitet, in den letzten Jahren aber auffallend selten geworden ist. Er bevorzugt baum- und buschbestandenes Gelände bis in etwa 1500 m Höhe. Die Raupen entwickeln sich auf Weiden, Ulmen und anderen Laubbäumen.

Tagpfauenauge *Inachis io*

Die auffällige Augenzeichnung auf Vorder- und Hinterflügeln machen das Tagpfauenauge zu dem wohl bekanntesten einheimischen Schmetterling überhaupt. Auch diesem Falter wird man weniger im Waldesinnern, als vielmehr an seinen Rändern und auf Waldlichtungen begegnen. Er fliegt von Mai an. Seine schwarzen, mit verästelten Dornen besetzten Raupen entwickeln sich – wie die des Kleinen Fuchses – auf Brennesseln. Das Tagpfauenauge ist über große Teile Europas verbreitet; ausgenommen sind die Gebiete nördlich des 60. Breitengrades.

Kaisermantel, Silberstrich *Argynnis paphia*

Der Kaisermantel ist ebenfalls einer der Tagfalter, denen man heute noch relativ häufig begegnet. Er ist über fast ganz Europa verbreitet; ausgeklammert sind Südspanien, das nördliche Großbritannien und Nordskandinavien. Der Falter kommt aber auch in weiten Teilen Asiens bis nach Japan und in Algerien vor. Leider gibt es verschiedene, ganz ähnlich aussehende Arten, so daß man den Kaisermantel leicht verwechseln kann. Hier muß wieder auf spezielle Bestimmungsbücher verwiesen werden. Auch ausführliche Bildführer können bei der Artdiagnose eine große Hilfe sein.

Der Kaisermantel fliegt von Ende Juni bis Anfang September an Waldrändern, auf Waldwiesen, auf Lichtungen und an den Rändern von Waldwegen. Bevorzugt besucht er Disteln. Die Raupe lebt an Waldveilchen; sie ist bräunlich gefärbt, trägt verästelte Dornen und zeigt deutliche gelbe Längsstreifen auf dem Rücken.

Waldbrettspiel *Pararge aegeria*

Dieser Tagfalter ist sowohl von der Färbung wie auch von der Lebensweise her wesentlich unauffälliger als die bisher vorgestellten Schmetterlinge. Aber er ist von Westeuropa bis Zentralasien verbreitet und kommt auch in Nordafrika vor. In Europa fehlt er nur im nördlichen Großbritannien und in Mittel- und Nordskandinavien. Er bevorzugt als Lebensraum lichte Laubwälder, wo er auch im Innern des Baumbestandes zu beobachten ist. Vom Tiefland geht er bis in Lagen um 1000 m. Der Falter fliegt von Mitte April bis Mitte Juni – die erste Generation – und von Juli bis September – die zweite Generation. Seine Raupen leben an verschiedenen Gräsern. Sie sind graubraun gefärbt, haben einen schwarzen Rückenstreifen und helle Seitenstreifen. Da es verschiedene, ganz ähnlich aussehende Tagfalterarten gibt, kann man das Waldbrettspiel ziemlich leicht mit anderen Arten verwechseln.

Eichenwickler *Tortrix viridiana*

Tagfalter sind häufig sehr reizvoll und ästhetisch gefärbt. Sie fliegen elegant und sprechen wohl jeden Naturfreund an. Diese Schmetterlinge machen aber nur einen kleinen Teil der gesamten Schmetterlingsfauna aus. Bisher haben wir die großen Gruppen der Spinner, Spanner, Eulen und Schwärmer noch nicht kennengelernt. Unter ihnen sind Arten, die für die Ökologie unserer Wälder von z. T. großer Bedeutung sind. Viele Arten aus den zuletzt genannten Gruppen sind nämlich Schadinsekten, die bei massenhaftem Auftreten ganze Wälder kahlfressen können. Dies wiederum hat ein massives Eingreifen der Forstleute zur Folge, die manchmal gar keine andere Wahl haben, als mit Insektiziden zu versuchen, die Bestände der Schädlinge zu reduzieren oder zu vernichten. Schäden bei anderen Insekten sind da nicht zu vermeiden. Eine Maßnahme gegen solche Massenentwicklungen bestimmter Schadinsekten ist nun, einen Lebensraum abwechslungsreich, d. h. artenreich, zu gestalten. Mischwälder sind sehr viel stabilere Lebensräume als etwa Fichtenmonokulturen. Eine weitere Gegenmaßnahme liegt in biologischen Methoden, etwa in der Ansiedlung von Vögeln, die Schadinsekten fressen. Man findet deshalb heute häufig künstliche Nisthöhlen in den Wäldern aufgehängt.
Einer dieser schädlichen Schmetterlinge ist der Eichenwickler. Wickler *(Tortricidae)* heißt die ganze Familie, weil die Raupen in eingerollten, zusammengesponnenen Blättern leben. Eichenwickler fliegen in der Abenddämmerung von Ende Mai bis in den Juni hinein. Der Eichenwickler schädigt vor allem Eichenbestände.

Forleule, Kieferneule *Panolis flammea*

Dieser unscheinbare Schmetterling hat schon Millionenschäden angerichtet, indem seine Raupen immer wieder große Kiefernforsten – vor allem in Nord- und Mitteldeutschland – völlig kahlgefressen haben. Bei Förstern ist also eine Forleulenplage sehr gefürchtet. Die Raupen beginnen schon sehr zeitig, die Nadeln abzufressen. Im Juni sind manche Kiefern dann schon kahl und sterben nach und nach ab.

Nonne *Lymantria monacha*

Schlimmer noch sind Massenentwicklungen der Nonne. Die Raupen dieses im Juli/August fliegenden Spinners fressen sowohl auf Laubbäumen als auch auf Nadelbäumen; Fichten werden bevorzugt. Die Nonne zählt man zu den ärgsten Forstschädlingen Mitteleuropas.

Pappelschwärmer *Laothoe populi*

In die Schmetterlingsfamilie der Schwärmer *(Sphingidae)* gehören durchweg große Arten. Die allgemeinen Kennzeichen dieser Gruppe sind das dicke Bruststück, der dicht behaarte Hinterleib und die kräftigen Beine mit den ebenfalls dicht behaarten Schenkeln. Ruhende Schwärmer tragen ihre Flügel entweder flach ausgebreitet oder dachförmig über den Hinterleib zusammengelegt. Schwärmer gehören zu den ausdauerndsten Fliegern unter den Schmetterlingen.
Pappelschwärmer werden bis zu 2,5 cm lang und haben eine Spannweite von bis zu 9 cm. Auffällig ist die Stellung der Flügel. In Ruhe werden die Hinterflügel nach vorne gezogen, so daß der Eindruck entsteht, der Falter hätte relativ kleine Vorderflügel, aber sehr große Hinterflügel. Die Auflösung der Form ergibt zusammen mit der grau-goldenen Färbung eine ausgezeichnete Tarnung. Der Schwärmer ist in der Dämmerung und während der Nacht aktiv. Sein bevorzugter Lebensraum sind Laubwälder. Man findet ihn aber auch in größeren Gärten und Parks. Die Falter nehmen keine Nahrung mehr zu sich, da ihre Rüssel verkümmert und zur Nahrungsaufnahme nicht mehr geeignet sind. Die Raupen leben an Pappeln und Weiden. Man wird dem Schmetterling daher in Auwäldern, wo die genannten Bäume einen großen Anteil des Bestandes ausmachen, am ehesten begegnen.

Kiefernspanner *Bupalus piniarius*

Als letzte Schmetterlingsfamilie seien hier die Spanner *(Geometridae)* vorgestellt. Spanner ähneln im Körperbau den Tagfaltern, wenn sie auch im Durchschnitt kleiner sind und in ihrer Färbung unscheinbare Grau- und Brauntöne vorherrschen. In Ruhestellung werden die Flügel flach ausgebreitet. Die Spanner sind überwiegend dämmerungs- und nachtaktiv. Typisch sind die Raupen, die zum einen Aststücken täuschend ähnlich sehen können, vor allem, wenn sie sich absolut ruhig verhalten, zum anderen aber die sprichwörtliche Fortbewegung zeigen, die der ganzen Gruppe den Namen gegeben hat. Der Kiefernspanner ist überall in Kiefernwäldern häufig. Auch dieser Schmetterling ist bei Förstern gefürchtet. Die Raupen fressen bei häufigem Auftreten ganze Kiefernbestände kahl. Man trifft sie in der Zeit von Juni bis Oktober an. Die Puppen überwintern am Boden. Der Falter fliegt von Mitte Mai bis in den Juni hinein.

Feuersalamander *Salamandra salamandra*

Der Feuersalamander ist mit Ausnahme Großbritanniens und Skandinaviens über fast ganz Europa verbreitet. Darüber hinaus kommt er auch in Nordwestafrika und Teilen Südwestasiens vor. Allerdings können die Tiere je nach Fundort sehr unterschiedliche Färbungen zeigen. Einmal variieren Größe, Form und Zahl der Flecken sehr stark, dann kommen in Nordspanien, Frankreich und der Schweiz gelb gebänderte Rassen vor, und schließlich findet man manchmal völlig gelbe Tiere. Westspanische Tiere haben oft eine rote Zeichnung, und bei Exemplaren aus Italien kann der Bauch rot gefleckt sein. Für Mittel- und Süddeutschland ist jedenfalls die abgebildete Form typisch. Salamander gehören zu den Lurchen oder Amphibien und sind an mehr oder weniger feuchte Lebensräume gebunden. In feuchten Wäldern kann man diesem Lurch an Bächen, Quellen und Tümpeln begegnen. Tagsüber hält er sich unter Moos, Steinen und Fallaub versteckt und geht erst mit Einbruch der Dämmerung auf die Suche nach Nahrung, die aus Würmern, Schnecken und Kerbtieren besteht. Nach der Paarung im Frühjahr und Sommer entwickeln sich im Weibchen 30 bis 70 Larven, die im Flachwasser abgesetzt werden. Die Larven tragen große Kiemenbüschel, besitzten Beine und einen Schwimmsaum am Schwanz. Je nach Lebensbedingungen entwickeln sich die Larven in einigen Monaten oder erst nach Ablauf von 2 oder 3 Jahren zu Volltieren, die dann an Land leben.

Blindschleiche *Anguis fragilis*

Die Blindschleiche wird in vielen Fällen für eine Schlange gehalten. Sie ist aber vielmehr eine Eidechse, der bei im Laufe der Evolution die Beine reduziert worden sind. Blindschleichen kommen in ganz Europa mit Ausnahme von Irland, dem südlichen Spanien und großen Teilen Skandinaviens vor. Die Tiere werden bis zu 50 cm lang. Ihr Körper ist ganz mit glatten, glänzenden Schuppen bedeckt. Blindschleichen können in der Farbe ziemlich variieren, typisch ist aber eine rötlichbraune Rückenfärbung. Manchmal ist der Rücken dunkel gestreift.
Am ehesten hat man Gelegenheit, Blindschleichen zu beobachten, wenn man in ihrem typischen Lebensraum – pflanzenreichen Waldlichtungen, Waldrändern und ähnlichen Stellen – in der Abenddämmerung oder nach Regenfällen nach ihr sucht. Und es muß natürlich in der warmen Jahreszeit sein, denn Reptilien – wie die Blindschleiche – sind ja wechselwarme Tiere. Ab Oktober ruhen sie in tiefen Erdverstecken. Das Weibchen wirft im April/Mai 5 bis 15 fertig ausgebildete Junge von etwa 7 bis 10 cm Länge.

Mäusebussard *Buteo buteo*

Greifvögel sind heute selten geworden. Lange Zeit fielen sie unter die Kategorie »schädlich«, was unablässige Verfolgung nach sich zog. Aushorstung junger Greife und Abschuß waren an der Tagesordnung. Heute versteht man die Rolle der Greifvögel in intakten Ökosystemen besser und billigt ihnen einen gewissen Schutz zu. Zur Reduzierung der Bestände durch den Menschen kamen die Veränderungen in den angestammten Lebensräumen. Und so müssen heute die letzten Wanderfalken-, See- und Fischadlerhorste in Deutschland während der Brutzeit rund um die Uhr bewacht werden, damit diese Arten überleben können. Ein noch häufig zu beobachtender Greif ist der Mäusebussard, der zudem große Teile Europas, Mittelasiens, Nordamerikas und Teile Afrikas besiedelt. Im Flug fallen der runde Kopf, der breite, gerundete Schwanz und seine langgezogenen »hiäh«-Rufe auf. Der Horst wird fast immer in großer Höhe auf Bäumen angelegt. Im Abstand von jeweils 3 oder 4 Tagen legt das Weibchen 2 bis 3 Eier, die auf weißlichem Grund rötlichbraun gefleckt sind. Die Brutdauer beträgt 4 Wochen. Nach weiteren 6 Wochen verlassen die Jungbussarde den Horst.

Habicht *Accipiter gentilis*

Der Habicht hatte lange Zeit stark unter Verfolgung durch Menschen zu leiden. Man nannte ihn »Hühnerhabicht«, und das hatte eine stark emotional betonte Beurteilung seiner ökologischen Funktion zur Folge. Überall wurden zurückgehende Bestände an Tauben, Rebhühnern oder Fasanen auf das Konto des Habichts geschrieben. Daß mit der Zerstörung der Lebensräume auch die Bestände dieser jagdlich interessanten Vögel zurückgehen mußten, wollte man nicht sehen. Trotzdem können die Habichtbestände in Mitteleuropa als momentan gesichert angesehen werden, auch wenn man den Greif viel seltener zu Gesicht bekommt als den Mäusebussard. Sein Verbreitungsgebiet ist dem des Bussards ähnlich, der Habicht bevorzugt aber stärker waldnahe Gebiete. Der Horst – ähnlich groß wie ein Bussardhorst – wird ebenfalls auf hohen Bäumen errichtet. Das Weibchen legt 3 bis 4 grünlichweiße Eier. Die Jungen schlüpfen nach rund 35 Tagen und verlassen nach weiteren 5 bis 6 Wochen den Horst. – Das Foto zeigt einen Jungvogel; bei den Altvögeln ist die Brust in arttypischer Weise gesperbert.

Waldkauz *Strix aluco*

Viele Eulen sind heute ebenfalls selten geworden, was wiederum im wesentlichen auf negative Veränderungen in den Lebensräumen zurückzuführen ist. Eine Eule, die sich immer noch in guten Beständen gehalten hat, ist der robuste Waldkauz. Er ist über fast ganz Europa verbreitet, fehlt nur in Irland und auf Island und in den nördlichen Teilen Skandinaviens. Besiedelt werden außerdem Gebiete in Nordwestafrika, Kleinasien, Süd- und Ostasien. Bei uns ist der Waldkauz vor allem in Wäldern mit alten Bäumen anzutreffen, aber auch in größeren Gärten und Parks. Er ist ein ausgesprochener Standvogel.
Waldkäuze brüten fast immer in Höhlen, bevorzugen dabei aber Baumhöhlen. Wenn Nistmöglichkeiten knapp werden – und diese Problem stellt sich in den modernen Wirtschaftsforsten vielen Höhlenbrütern –, dann werden vom Waldkauz auch künstliche Nisthöhlen angenommen. Meist hört man schon im Februar die langezogenen »huuu, huuuu, huuu«-Rufe der Männchen, die damit ihr Revier akustisch markieren und die Weibchen auf sich aufmerksam machen. In der zweiten Märzhälfte findet man die aus 3 bis 4 Eiern bestehenden Gelege. Die Eier sind rundlich geformt und weiß gefärbt. Das Weibchen brütet sie allein aus, wird aber in dieser Zeit vom Männchen gefüttert. Im Alter von etwa 4 Wochen verlassen die jungen Käuze die Bruthöhle.

Waldohreule *Asio otus*

Die Waldohreule sieht dem Waldkauz eigentlich recht ähnlich, aber die langen, gut sichtbaren Federohren machen die Unterscheidung einfach. Diese Eule ist über fast ganz Europa, Mittelasien, Nordwestafrika und Teile Nordamerikas verbreitet. Bei uns ist sie in Feldgehölzen und mehr oder weniger großen Waldgebieten anzutreffen. Sie baut nie einen eigenen Horst, sondern benutzt die Nester von Elstern und Krähen, manchmal auch die anderer Greife und sogar von Tauben. Die Waldohreule legt 4 bis 6 weiße, rundliche Eier, die 4 Wochen lang gebrütet werden. Die Gelege findet man bei uns im März/April. Waldohreulen ernähren sich hauptsächlich von Feldmäusen. Das hat zur Folge, daß in guten Mäusejahren auch die Eulenbestände hoch sind; in schlechten sinken die Eulenbestände ab. In harten Wintern mit hoher Schneelage sind die Waldohreulen stark gefährdet; viele Tiere verhungern.

Buntspecht *Dendrocopos major*

Die Spechte haben charakteristische, gemeinsame Kennzeichen: Mit ihrem kräftigen, stoßgedämpften Meißelschnabel spalten sie Baumrinde und morsches Holz, um dort nach Nahrung – vor allem Insekten und deren Larven – zu suchen. Die lange, mit Widerhaken besetzte Zunge, holt die Beutetiere selbst aus feinsten Höhlungen im Holz hervor. Mit dem Schnabel zimmern die Spechte aber auch ihre Bruthöhlen. Klopf- und Trommelzeichen bilden ein Signalsystem zur Verständigung mit Artgenossen. Mit ihren Kletterfüßen – 2 Zehen sind nach vorn, 2 nach hinten gerichtet, alle tragen steigeisenartige Krallen – können sie sich hervorragend an Baumstämmen bewegen. Der keilförmige Stützschwanz ist eine zusätzliche Anpassung an ihre kletternde Lebensweise. – Einer der häufigsten einheimischen Spechte ist der Buntspecht, den man eigentlich »Großer Buntspecht« nennen sollte, denn es gibt noch verschiedene andere, ganz ähnlich aussehende Buntspechte in Europa, etwa den Mittelspecht *(D. medius)* und den Kleinspecht *(D. minor).* Zur Unterscheidung der Buntspechtarten ziehe man einen entsprechenden Vogelführer zu Rate. Der Große Buntspecht ist über fast ganz Europa verbreitet, kommt dann in Mittelasien vor und auch in Nordwestafrika. Diese Spechtart bleibt in der Regel das ganze Jahr über bei uns. Ihre Nisthöhlen findet man in Laub- und Nadelbäumen; sie liegt meist 4 bis 6 m über dem Erdboden. Das Weibchen legt 4 bis 8 glänzend-weiße Eier. Die jungen Spechte verlassen die Höhle im Alter von etwa 3 Wochen.

Grünspecht *Picus viridis* (Abb. unten links)
Grauspecht *Picus canus* (Abb. unten rechts)

Die beiden bei uns vorkommenden grünen Spechte kann man auf den ersten Blick leicht verwechseln. Beim Grünspecht tragen die Altvögel eine rote Kopfplatte und einen breiten Bartstreif; der Grauspecht hat einen grauen Kopf mit viel weniger Rot und einen schmalen, schwarzen Bartstreifen. Beide Arten bezeichnet man auch als Erdspechte; sie suchen nämlich gerne an Ameisenhaufen ihre Insektennahrung. Der Grünspecht ist akustisch viel auffälliger als der Buntspecht; sein lautes »glüh-glüh-glüh« ist kaum zu überhören. Der Grünspecht ist über fast ganz Europa verbreitet, kommt darüber hinaus noch in Teilen der Sowjetunion und in Kleinasien vor; das Verbreitungsgebiet des Grauspechts ist wesentlich kleiner. Ihre Nisthöhlen zimmern diese Spechte bevorzugt in Laubbäume, meist in Höhe von wenigen Metern.

Schwarzspecht *Dryocopus martius*

Annähernd so groß wie eine Saatkrähe, ist der Schwarzspecht der größte unter den heimischen Spechten. Das Gefieder ist – bis auf die Kopfplatte – durchgehend schwarz gefärbt. Beim Männchen reicht die rote Kopfplatte vom Schnabel bis zum Hinterkopf. Das Weibchen besitzt lediglich einen roten Hinterkopf. Man kann die beiden Geschlechter also leicht unterscheiden.

Der Schwarzspecht kommt fast überall in Europa vor; er fehlt aber in Großbritannien, in Dänemark, in Holland und Belgien, in Teilen Frankreichs und im südlichen Griechenland. In Asien erstreckt sich das Verbreitungsgebiet bis nach Japan. Diese Spechtart kommt innerhalb ihres Verbreitungsgebietes überall in verschiedenen Waldtypen vor; die Waldgebiete müssen aber ziemlich groß und zusammenhängend sein. Zum Bau seiner Höhle bevorzugt der Schwarzspecht deutlich Buchen und Kiefern, auch wenn man Schwarzspechthöhlen bisweilen in anderen Bäumen findet. Beide Geschlechter beteiligen sich an den Zimmerarbeiten. Spechthöhlen stellen wichtige Nistmöglichkeiten für andere Vögel dar. Wegen ihrer Größe werden verlassene Schwarzspechthöhlen von Hohltauben, Blauracken, Wiedehopfen oder Schellenten angenommen. Die Höhlen von Grünspecht und Buntspecht werden dagegen eher von Meisen, Kleibern, Staren und Höhlenbrütern ähnlicher Größe benutzt. So leisten Spechte insgesamt eine wichtige Vorarbeit für die Ansiedlung von Höhlenbrütern in Waldgebieten. Fehlen die Spechte, dann kann der Forstmann diese Vögel ansiedeln, indem er künstliche Nisthöhlen im Wald aufhängt. Diese Arbeit der Forstleute wird heute – in den modernen Wirtschaftsforsten – zunehmend wichtiger, denkt man an die Rolle der Singvögel – besonders der Meisen – in der biologischen Schädlingsbekämpfung.

Schwarzspechte legen 4 bis 5 Eier, auch sie sind glänzend weiß. Was nach dem Schlüpfen der Jungen in einer Schwarzspechthöhle geschieht, hat Heinz Sielmann in seinem berühmten Film »Das Jahr mit den Spechten« meisterhaft gezeigt. Er hat zum ersten Mal das Leben innerhalb einer Schwarzspechthöhle in allen Einzelheiten gefilmt. – Die Jungen schlüpfen nach etwa 2 Wochen Bebrütung aus den Eiern und bleiben dann noch etwa einen Monat lang in der Höhle. Nach dem Verlassen der Höhle müssen sich die jungen Spechte ein eigenes Revier suchen. Sie werden von den Eltern aus deren Revier vertrieben, ein Verhalten, das man von allen europäischen Spechten kennt.

Eichelhäher *Garrulus glandarius*

Der Eichelhäher ist einer der akustisch auffälligsten Vögel im Wald. Sein heiseres Rätschen warnt andere Vögel vor drohenden Gefahren. Der Eichelhäher versteht es aber auch geschickt, die Stimmen anderer Vögel nachzuahmen. Man sollte also nicht erstaunt sein, wenn man auf einem Waldspaziergang plötzlich Vogelstimmen hört, die man in diesem Lebensraum gar nicht erwartet hätte.
Der Eichelhäher ist aber auch von seiner Gefiederfärbung her leicht zu erkennen: Die schwarz-blauen Federn am Flügelbug, die weiße Zeichnung im Flügel und der weiße Bürzel sind auffällige Kennzeichen, die beide Geschlechter in gleicher Weise tragen. Der Eichelhäher kommt in vielen Rassen im gesamten paläarktischen Raum vor. Im Norden Eurasiens bestimmt die Baumgrenze seine Verbreitung. In Zentralasien fehlt er in den großen Steppengebieten und Wüsten. Er ist ja auch ein Vogel, der an Waldgebiete gebunden ist, wenn man ihn auch mehr und mehr in größeren Parks, z. T. mitten in den Städten, antreffen kann. Das Nest wird aus kleinen Zweigen und Aststücken in Sträuchern und Bäumen angelegt. 5 bis 7 Eier legt das Weibchen, die auf bräunlich-grünem Grund dicht braun gefleckt sind. Die Gelege findet man von Ende April bis in den Juni hinein. 2 Wochen lang werden die Eier bebrütet. Die Jungen verlassen das Nest etwa 3 Wochen nach dem Schlüpfen.

Kuckuck *Cuculus canorus*

Der Kuckuck ist über ganz Europa verbreitet, ist aber ein ausgesprochener Zugvogel, der im südlichen Afrika überwintert. Der Vogel gibt in Mitteleuropa also nur eine kurze Gastrolle, etwa von Mitte Mai bis Mitte August. Aber seine Rolle ist interessant; er ist nämlich der einzige Brutschmarotzer – oder Brutparasit – in der mitteleuropäischen Vogelwelt, d. h. er läßt seine Eier von anderen Vögeln ausbrüten und die Jungen von ihnen aufziehen. Die 15 bis 20 Eier, die ein Weibchen in einem Frühjahr legt, ähneln meist denen des Wirtsvogels. Interessanterweise ist jedes einzelne Weibchen auf eine ganz bestimmte Wirtsvogelart spezialisiert. Die jungen Kuckucke werfen nach dem Schlüpfen die restlichen Eier aus dem Nest und werden daher allein von den Altvögeln aufgezogen. Ihnen kommt also die gesamte herbeigeschaffte Nahrung zugute. Die vielen Fragen, die die Biologie des Kuckucks aufwirft, sind Gegenstand intensiver Untersuchungen seitens der Ornithologen.

Ringeltaube *Columba palumbus*

Die Ringeltaube kommt mit Ausnahme von Island und Nordskandinavien in fast ganz Europa vor. In anderen Rassen bewohnt sie Teile Asiens und Nordwestafrikas. In Mitteleuropa ist diese größte aller heimischen Taubenarten ein überall häufiger Brutvogel. Sie kommt dabei nicht nur in kleineren und größeren Waldgebieten vor, sondern brütet mittlerweile auch in Gärten und Parks, auf Straßenbäumen und auf Friedhöfen. Ringeltauben bleiben in milden Wintern mit reichlicher Nahrung – vor allem, wenn es reichlich Bucheckern gibt – in Mitteleuropa. Dann kommen sogar oftmals noch Zuzügler aus Skandinavien zu uns. Meist aber ziehen sie in der ungünstigen Jahreszeit nach Südwesten ab. – Ringeltauben bauen ausgesprochen schlampige Nester. Meist werden nur wenige Zweige zu einem flachen Bau von etwa 30 cm Durchmesser zusammengelegt. Von unten sieht man durch das lockere Geflecht 2 weiße Eier im Nest liegen. Ringeltauben machen mehrere Bruten hintereinander. Dies setzt allerdings voraus, daß die Bruten ineinandergeschachtelt werden, d. h. das Weibchen bebrütet schon die nächsten Eier, während sich das Männchen noch um die Aufzucht der Jungen aus der vorherigen Brut kümmert. Die frühesten Gelege findet man bei uns im April, manchmal auch schon im März.

Hohltaube *Columba oenas*

Die Hohltaube ist etwas kleiner als die Ringeltaube und sieht ihr in der Grundfärbung ähnlich. Ihr fehlen aber der weiße Halsfleck und die weißen Flügeldecken der Ringeltaube. Das Verbreitungsgebiet dieser Taubenart stimmt fast mit dem der Ringeltaube überein, nur ist sie viel seltener zu beobachten. Die Hohltaube ist nämlich viel ausgeprägter an Waldgebiete gebunden als die vorige Art. Außerdem ist sie als Höhlenbrüter auf das Vorhandensein natürlicher oder künstlicher Nisthöhlen angewiesen. Und die stehen halt nicht immer zur Verfügung. Natürliche Nisthöhlen sind im wesentlichen die alten Höhlen vom Schwarzspecht, künstliche Nisthöhlen kann der Forstmann aufhängen, wenn es in seinem Revier an einem entsprechenden Wohnungsangebot für Höhlenbrüter mangelt. Die Hohltaube legt ebenfalls 2 weiße Eier. Die Jungen werden – wie bei allen Tauben – anfangs mit einer besonderen Kropfmilch gefüttert und erst im Alter von etwa 10 Tagen zusätzlich mit Sämereien und Früchten.

Kohlmeise *Parus major*

Viele Insekten und deren Larven leben im Wald als Blattfresser und Holzzerstörer. Ihre Bekämpfung mit chemischen Mitteln ist zwar möglich, aber man kann auch versuchen, die Schädlinge zahlenmäßig dadurch zu reduzieren, daß man die natürlichen Feinde in ihrem Bestand fördert. Die Meisen spielen hier eine besondere Rolle. Sie sind Höhlenbrüter, und der Forstmann hängt deshalb künstliche Nisthöhlen im Wald auf, um zusätzliche Brutgelegenheiten für die Vögel zu schaffen.
Die Kohlmeise ist mit ihren 14 cm Körperlänge, ihrer blauschwarzen Kopf- und Halszeichnung und dem ebenfalls blauschwarzen Streifen auf dem gelben Bauch die größte und auffälligste heimische Meisenart. Ihr Verbreitungsgebiet ähnelt dem der Blaumeise (siehe unten), geht aber wesentlich weiter nach Osten und Südosten. Die Kohlmeise ist besonders findig, wenn es darum geht, einen Nistplatz zu suchen; man hat ihre Nester schon in Briefkästen, in Verkehrsampeln oder in Stauwehren gefunden. Die Kohlmeise macht 2 Bruten im Jahr. Ihre Gelege bestehen normalerweise aus 8 bis 10 Eiern; man hat aber schon Gelege mit 18 Eiern gefunden. Die Eier sind weißlich gefärbt und tragen rostbraune Flecken.

Blaumeise *Parus caeruleus*

Die Blaumeise ist zusammen mit der Kohlmeise die wohl am häufigsten zu beobachtende Meisenart. Sie brütet ja auch in Gärten und Parks und stellt sich im Winter am Futterhaus ein. Ihr Verbreitungsgebiet ist Europa mit Ausnahme Nordskandinaviens; daneben kommt sie auch in Nordafrika und in Vorderasien vor. Ihre Verbreitungsgrenze nach Osten liegt am Ural. Die Blaumeise legt zweimal im Jahr 10 bis 12 Eier, die auf weißem Grund rotbraun gefleckt sind. Volle Gelege findet man im Mai und Juni.

Tannenmeise *Parus ater*

Die Tannenmeise kommt im größten Teil des paläarktischen Faunengebietes vor, wobei allerdings die nördlichen und südlichen Gebiete ausgespart sind. Bei uns kommt sie überall in Nadelwäldern vor. Auf den ersten Blick kann man sie vielleicht mit der Kohlmeise verwechseln, der sie in der Kopfzeichnung ähnelt. Allerdings fehlt dem Gefieder das satte Gelb, das für die Kohlmeise typisch ist. Weiter fehlt der dunkle Streifen auf der Brust. Ein weiteres sicheres Kennzeichen der Tannenmeise ist der weiße Nackenfleck. Ihre Brutbiologie ähnelt der der vorigen Arten.

Haubenmeise *Parus cristatus*

Die Haubenmeise bewohnt fast ganz Europa; bei uns ist sie in Nadelwäldern überall anzutreffen. Diese Meise ist von den anderen Arten leicht zu unterscheiden. Sie gleicht zwar der Sumpfmeise (siehe unten) in der Grundfärbung, aber an der schwarz-weißen Gesichtszeichnung und der Federhaube auf dem Kopf ist sie leicht zu erkennen. Dazu kommt ihr charakteristisches »zizi gürrr«, eine im Nadelwald markante Vogelstimme. Haubenmeisen bauen ihre Nester ebenfalls in Höhlen; auch sie nimmt künstliche Nisthöhlen an. Haubenmeisen machen 2 Bruten, die Eier – 7 bis 10 je Gelege – zeigen rostrote Flecken auf hellem Grund. Gegenüber den Eiern der anderen Meisenarten sind die Flecken jedoch am stumpfen Pol zu einem Kranz angeordnet, so daß man sie – etwa bei einer Nistkastenkontrolle – leicht unterscheiden kann.

Sumpfmeise *Parus palustris*

Das Verbreitungsgebiet dieser Meisenart weist 2 große, weit auseinanderliegende Areale auf; das eine liegt in Mittel- und Südeuropa, das andere in Ostasien. Der Name »Sumpfmeise« ist nicht sehr glücklich, der Vogel bewohnt hauptsächlich Laub- und Mischwälder, kommt aber auch in Gärten und Parks vor. In Sumpfgebieten mit Weiden-, Birken- und Erlenbeständen trifft man eher die ganz ähnlich aussehende Weidenmeise *(P. montanus)* an. Beide Arten zeigen ein graubraunes Gefieder, eine schwarze Kopfplatte und ein schwarzes Kinn. Zur Unterscheidung ziehe man einen Vogelführer zu Rate. Die Sumpfmeise ist – wie alle bisher vorgestellten Meisenarten – ein Höhlenbrüter. Auch sie nimmt Nistkästen an. Die Gelege, die man Ende April/Anfang Mai finden kann, bestehen aus 7 bis 10 Eiern. Sie sehen denen der Blaumeise sehr ähnlich. Sumpfmeisen machen nur eine Brut im Jahr.

Schwanzmeise *Aegithalos caudatus*

Die Schwanzmeise kommt – mit Ausnahme von Nordskandinavien – in ganz Europa vor. Diese im Volksmund nach ihrer Form auch »Pfannenstielchen« genannte Meisenart bevorzugt feuchte Laub- und Mischwälder, die reichen Unterwuchs aufweisen. Schwanzmeisen bauen aus den Gespinsten von Spinnen und Schmetterlingsraupen, aus Moos und Pflanzenfasern eiförmige Nester mit einer seitlichen Eingangsöffnung. Innen sind die Nester mit Federn ausgepolstert. Schwanzmeisen legen zweimal im Jahr jeweils etwa 10 Eier, in der ersten Brut manchmal mehr, in der zweiten Brut meist weniger.

Waldbaumläufer *Certhia familiaris*

Der unscheinbar braun gefärbte Waldbaumläufer ist über große Teile Europas, Asiens und Nordamerikas verbreitet. Bei uns können wir den Vogel in Nadel- und Mischwäldern beobachten, an die er streng gebunden ist. Taucht ein Baumläufer in Gärten und Parks auf, handelt es sich um den nahe verwandten, zum Verwechseln ähnlichen Gartenbaumläufer *(C. brachydactyla).* Baumläufer verdienen ihren Namen zu Recht; sie verstehen es – ähnlich wie die Spechte – an Baumstämmen aufwärts zu klettern und auf der Rinde nach Nahrung zu suchen, die aus Insekten und Spinnen besteht. Beim Klettern dient auch ihnen der Schwanz als Stütze. Baumläufer legen ihre Nester hinter abstehenden Rindenstükken, in Baumhöhlen, Holzstößen und an ähnlichen Plätzen an. Auch Nistkästen werden von den Vögeln angenommen. Das Gelege besteht aus 5 bis 7 Eiern, die denen der Meisen gleichen.

Kleiber *Sitta europaea*

Der Kleiber ist ebenfalls ein Vogel, der auf der Rinde von Bäumen nach Nahrung sucht. Durch seine Körperproportionen ist er aber auch in der Lage, mit dem Kopf stammabwärts zu laufen. Da der Kleiber mit seinem blaugrauen Rücken, der rotbraunen Unterseite und seinen »tüh tüh tüh«-Pfiffen ein optisch und akustisch auffälliger Vogel ist, kann man ihn leicht beobachten und seine Lebensweise studieren. In mehreren Rassen ist er zudem über die gesamte Paläarktis verbreitet. In Mitteleuropa bilden Laub- und Mischwälder seinen bevorzugten Lebensraum; er fehlt aber auch in Parkanlagen nicht und kann im Winter am Futterhaus beobachtet werden. Kleiber sind Höhlenbrüter, die es außerdem verstehen, die Einschlupföffnung auf ihre Körpermaße mit Speichel und Lehm zu verkleinern. Aus dieser Eigentümlichkeit erklärt sich der Name Kleiber (= Kleber).

Wintergoldhähnchen *Regulus regulus*

Sie sind die kleinsten Vögel Europas und wiegen gerade 5 g. Die geringe Größe ist also schon ein sicheres Kennzeichen. Allerdings gibt es in Mitteleuropa zwei Goldhähnchenarten. Während beim Wintergoldhähnchen jegliche Zeichnung um die Augen herum fehlt, sind die schwarzen und weißen Augenstreifen für das Sommergoldhähnchen *(R. ignicapillus)* typisch. Das Wintergoldhähnchen kommt in fast ganz Europa vor; Ausnahmen: die Iberische Halbinsel und Nordskandinavien. Die Vögel bauen Kugelnester und brüten zweimal im Jahr.

Amsel, Schwarzdrossel *Turdus merula*

Es mag erstaunen, daß hier die Amsel erscheint, die doch eigentlich ein Vogel unserer Gärten und Parks ist. Aber das war nicht immer so! Früher war die Amsel ein scheuer Waldvogel. Heute ist sie aus den Städten nicht mehr wegzudenken; sie ist ein Kulturfolger. Man nimmt an, daß es vor allem die besseren Ernährungsmöglichkeiten in den Städten und Dörfern waren, die die Verhaltensänderungen der Amsel ausgelöst haben. In Europa kommt die Amsel fast überall vor; lediglich das nördliche Skandinavien und Island sind ausgespart. – Das Männchen ist einfarbig schwarz; es trägt außerdem einen gelben Augenring und einen gelben Schnabel. Das Weibchen ist unscheinbar dunkelbraun gefärbt; es trägt eine braun gefleckte Kehle. – Amseln legen ihre Nester an den unterschiedlichsten Stellen an; im Wald werden sie in Astgabeln von Bäumen und Büschen zu finden sein, meist wenige Meter über dem Erdboden. Das Nest besteht außen aus Reisern, Blättern und Halmen. Innen ist es mit feinerem Material ausgelegt, in das auch feuchte Erde eingearbeitet wird. Das Amselnest ist ein insgesamt fester Bau mit einer tiefen Mulde, in die das Weibchen zweimal im Jahr je 4 bis 6 Eier legt. Die Eier sind auf verwaschen grünem Grund bräunlich gefleckt. Die ersten Gelege findet man schon Anfang April. Amseln sind bei uns Standvögel.

Singdrossel *Turdus philomelos*

Diese Drosselart ist etwas kleiner als die Amsel und durch die Färbung gut von ihr zu unterscheiden. Beide Geschlechter gleichen sich: Die Oberseite ist einfarbig braun, die Unterseite weißlich-grau und braun gesprenkelt. Die Verbreitung der Singdrossel in Europa stimmt mit der der Amsel in etwa überein, nur geht sie viel weiter nach Norden hinauf, bewohnt andererseits nur den nördlichsten Teil der Iberischen Halbinsel. Singdrosseln sind Zugvögel, die allerdings schon im südwestlichen Europa und in Nordwestafrika überwintern. Anfang März treffen die Vögel wieder an ihren mitteleuropäischen Brutplätzen ein. Wälder mit reichlichem Unterwuchs sind ihr Lebensraum, aber sie kommt – ähnlich wie die Amsel – auch in Parkanlagen, in großen Gärten und auf Friedhöfen inmitten der Städte vor. Ihr Gesang aus einzelnen, jeweils mehrere Male wiederholten Strophen ist typisch. Singdrosseln bauen Nester, die denen der Amseln ähneln, nur sind die Innenwände mit einem Gemisch aus feinen Pflanzenteilen, Erde und Speichel sauber und glatt ausgekleidet. Die Eier sehen allerdings ganz anders aus als Amseleier; auf türkisfarbenem Grund sind sie schwarz gesprenkelt. Auch die Singdrossel legt zweimal im Jahr 4 bis 6 Eier.

Rotkehlchen *Erithacus rubecula*

Das Rotkehlchen gehört wohl zu den bekanntesten einheimischen Vögeln. Seine Gefiederfärbung ist auch so auffällig, daß keine Verwechslungen möglich sind. Zudem ist der Vogel über fast ganz Europa verbreitet; Nordskandinavien ist aber nicht besiedelt. Nach Osten erstreckt sich das Verbreitungsgebiet bis nach Sibirien hinein, nach Süden bis Nordwestafrika und nach Südosten bis nach Kleinasien. Auch das Rotkehlchen ist eigentlich ein Waldvogel – Wälder mit reichlich Unterwuchs sind sein bevorzugter Lebensraum –, aber es ist mittlerweile auch in Gärten und Parks heimisch geworden. Ein Teil der Vögel bleibt den Winter über im Brutgebiet. Der größte Teil der mitteleuropäischen Population zieht aber in die Mittelmeerländer, um dort zu überwintern. Im März kehren die Vögel ins Brutgebiet zurück und besetzen die Reviere. Die Männchen singen dann ihr typisches Lied, das mit leisen Tönen beginnt und mit perlenden Tönen endet. Rotkehlchen bauen ihre Nester gut versteckt am Boden, am liebsten in natürlichen Höhlungen, etwa unter Baumwurzeln, an Böschungen und ähnlichen Orten. Zwei Bruten werden aufgezogen. Die Eier sind auf weißlichem Grund dicht rotbraun gefleckt.

Zaunkönig *Troglodytes troglodytes*

Die kleinsten Vögel in der europäischen Avifauna haben wir mit den Goldhähnchen schon kennengelernt. Meist wird aber der Zaunkönig dafür gehalten. Der Vogel wiegt aber rund 8,5 g, also 3,5 g mehr als ein Goldhähnchen! Was den ornithologisch Interessierten immer wieder erstaunt, ist, daß der kleine Zaunkönig ein so lautes und auffälliges Lied schmettern kann. Man muß wirklich »schmettern« sagen, denn es ist nicht zu überhören, wenn man nicht nur mit offenen Augen, sondern auch mit offenen Ohren etwa durch einen unterholzreichen Wald geht. Das ist nämlich der bevorzugte Lebensraum dieses kleinen braunen Vogels mit dem Stelzschwanz. Und auch für ihn gilt, daß er auch in größeren Parkanlagen und in Gärten zu beobachten ist. Das Verbreitungsgebiet des Zaunkönigs erstreckt sich über fast ganz Europa, Teile Asiens und Nordamerikas, und er kommt auch in Nordwestafrika vor. Der Zaunkönig baut in Bodennähe ein Kugelnest aus Moos und trockenen Blättern; der seitliche Eingang ist typisch. Zweimal im Jahr werden 5 bis 7 fein rötlich gefleckte, weiße Eier ausgebrütet. Zaunkönige bleiben fast immer den Winter über in Mitteleuropa.

Mönchsgrasmücke *Sylvia atricapilla*

In Waldgebieten lassen sich zwei Arten von Grasmücken beobachten, neben der unscheinbar bräunlich-grün gefärbten Gartengrasmücke *(S. borin)* vor allem die Mönchsgrasmücke, die leichter zu erkennen ist: Das Weibchen hat eine braune, das Männchen eine schwarze Kopfplatte. Mönchsgrasmücken kommen mit Ausnahme Islands, Nordschottlands und Nordskandinaviens in ganz Europa, in Nordwestafrika und Teilen Asiens vor. Bei uns ist diese Grasmücke in Wäldern der verschiedensten Typen anzutreffen, aber auch in kleineren Feldgehölzen und in größeren Parkanlagen. Die Vögel treffen Mitte April aus ihren Überwinterungsgebieten wieder in Mitteleuropa ein. Ihr Nest aus Stengeln, Wurzelfasern und Pflanzenwolle steht niedrig über dem Boden im Büschen und Hekken. In der Regel werden 5 Eier gelegt, die in der Färbung stark variieren können; meist sind sie auf weißlich-grauem Grund bräunlich oder grünlich gefleckt, wobei die Flecken um den stumpfen Pol herum dichter angeordnet sind. Es werden zwei Bruten aufgezogen. Mitte September bis Mitte Oktober verlassen die Mönchsgrasmücken ihre Brutgebiete, um im südlichen Europa oder im nördlichen Afrika zu überwintern.

Waldlaubsänger *Phylloscopus sibilatrix*

Genau wie die Rohrsänger an Weihern und Seen, sind die Laubsänger im Wald eine Vogelgruppe, die den ornithologisch noch nicht so versierten Naturfreund immer wieder verzweifeln lassen. Die Laubsänger sind allesamt grün; ihre Gefiederfärbung trägt also wenig zur Artdiagnose bei. Man muß sich schon auf die Gesänge konzentrieren, die man aber bei ein bißchen Training leicht unterscheiden kann. Der Gesang des Waldlaubsängers ist ganz charakteristisch; mit »sib sib sib sirrrr« kann man ihn vielleicht am besten umschreiben. Der Vogel wird deshalb auch »Waldschwirrvogel« genannt. Ein Tip: Es gibt heute verschiedene Serien von Vogelstimmenschallplatten, die es einem leicht machen, die verschiedenen Gesänge und Rufe kennenzulernen! – Der Waldlaubsänger ist über große Teile Europas verbreitet. In Deutschland ist er in Laub- und Mischwäldern fast überall anzutreffen. Ende April/Anfang Mai kehren die Vögel aus ihrem Winterquartier im tropischen Afrika nach Mitteleuropa zurück. Sie bauen Bodennester, die wie ein Backofen gebaut sind, also eine seitliche Öffnung besitzen, ansonsten aber allseits geschlossen sind. Die 6 bis 7 Eier sind auf hellem Grund dunkel gefleckt. Anfang September ziehen die Vögel nach Süden.

Buchfink *Fringilla coelebs*

Alle Finkenvögel zeichnen sich dadurch aus, daß sie einen mehr oder weniger kräftigen Schnabel haben, der dabei hilft, hartschalige Samen und Früchte zu knacken. Sie sind also Körnerfresser, die natürlich nebenbei auch Insektennahrung aufnehmen. Der Buchfink ist der wohl bekannteste Finkenvogel in Mitteleuropa. Er bewohnt darüber hinaus fast ganz Europa, Teile Asiens und Nordafrika. Das Männchen ist an seinem rotbraunen Rücken und der blaugrauen Kopfplatte leicht vom unscheinbarer grün gefärbten Weibchen zu unterscheiden. Buchfinken bauen kunstvolle Nester, die – gut getarnt – meist auf waagerecht stehenden Ästen und in Astgabeln angelegt werden. Die Farbe der Eier ist außerordentlich variabel. Die Gelege bestehen meist aus 5 Eiern.

Gimpel, Dompfaff *Pyrrhula pyrrhula*

Der Gimpel oder Dompfaff ist einer der Vögel in der europäischen Vogelwelt, der kaum mit einer anderen Vogelart zu verwechseln ist. Das Männchen zeigt eine karminrote Brust, eine schwarze Kopfplatte, einen blaugrauen Rücken und eine deutliche Schwarz-Weiß-Zeichnung am Schwanz und auf den Flügeln. Das Weibchen hat dagegen eine graubraune Brust, ist also leicht vom Männchen zu unterscheiden. Gimpel bewohnen große Teile Europas und Asiens und bewohnen hier unterholzreiche Wälder; aber die Vögel fehlen auch in größeren Gärten und Parks nicht. Allerdings sind sie nirgends häufig. Neben ihrer Färbung ist auch der Lockruf typisch, ein leises »diüüü«. Das Nest steht gewöhnlich wenige Meter über dem Boden, meist in Fichtendickungen, in Wacholderbüschen und an ähnlichen Plätzen. Die Eier sind auf hellblauem Grund rot- oder schwarzbraun gefleckt.

Grünfink, Grünling *Carduelis chloris*

Auch diese Finkenart kann man innerhalb der Städte in größeren Parks antreffen. Man findet den Grünfink aber auch in Feldgehölzen, an Waldrändern und in ähnlichem, eher offenen Gelände. Sein Verbreitungsgebiet erstreckt sich über fast ganz Europa und reicht bis zum Ural. Das nördliche Skandinavien ist ausgespart. Es reicht andererseits bis nach Nordwestafrika. Die Vögel bleiben meist den Winter über im Brutgebiet; es finden aber bisweilen auch weitere Wanderungen statt. Der Vogel legt sein Nest in 2 bis 4 m Höhe in kleinen Nadelbäumen oder Büschen an. Die Eier weisen eine weißliche Grundfarbe auf und sind nur spärlich gefleckt. Es finden zwei Bruten statt.

Waldmaus *Apodemus sylvaticus*

Die Waldmaus wird etwa 10 cm lang, der Schwanz – entsprechend ihrer Zugehörigkeit zur Familie der Echten Mäuse oder Langschwanzmäuse *(Muridae)* – ist noch einmal genauso lang. Das Tier wiegt zwischen 15 und 35 g. Sein Verbreitungsgebiet erstreckt sich – mit Ausnahme Nordskandinaviens – über ganz Europa und reicht im gemäßigten Asien bis nach Japan. In Mitteleuropa kann man die Waldmaus in Feldgehölzen und an Waldrändern antreffen. Allerdings wird die Beobachtung dadurch erschwert, daß sie vorwiegend in der Dämmerung und in der Nacht aktiv ist. Die Waldmaus gräbt sich Erdbaue, in denen dreimal im Jahr 3 bis 9 Junge aufgezogen werden. Die Tragzeit liegt bei 3 Wochen. Eine ganz ähnlich gefärbte Maus ist die Gelbhalsmaus *(S. flavicollis),* bei der die weiße Unterseite aber schärfer gegen die braune Oberseite abgesetzt ist als bei der Waldmaus.

Siebenschläfer *Glis glis*

Der Siebenschläfer – ein Bilch – ist über Mittel- und Südeuropa verbreitet und kommt vor allem in Laubwäldern mit hohem Baumbestand vor. Im Nadelwald dagegen fehlt er fast völlig. Auch der Siebenschläfer ist überwiegend in der Dämmerung und bei Nacht aktiv. Die Tiere werden bis zu 20 cm lang, der buschige Schwanz noch einmal etwa 15 cm. Sie sind ausgesprochen gewandte Kletterer. Im Herbst kommen sie bisweilen auch in die Häuser und treiben sich dann auf Dachböden herum. Durch ihre Stimme wird man auf diesen Obermieter zuerst aufmerksam. Man hat sie schon so beschrieben: Muckern (Stimmfühlung), Knurren (Ärger), Schnarchen (Wut) und Quieken (Angst). – Siebenschläfer bauen aus Moos und anderen pflanzlichen Baustoffen Nester, die sie oftmals auch in Vogelnistkästen anlegen. Sie werfen einmal im Jahr 2 bis 7 Junge, die nach einer Tragzeit von rund einem Monat zur Welt kommen.

Haselmaus *Muscardinus avellanarius*

Auch die Haselmaus ist ein Bilch; sie ist also mit dem Siebenschläfer nahe verwandt. Ihr Verbreitungsgebiet ähnelt dem der vorigen Art. Ihr Lebensraum sind gebüschreiche Waldränder, Waldlichtungen und Jungswuchsbestände. Hier legt sie ihre Kugelnester aus Moos, Gras und Blättern an. Auch dieser Bilch ist überwiegend dämmerungs- und nachtaktiv. Einmal im Jahr werden nach 26 Tagen Tragzeit 3 bis 4 nackte, blinde Junge geboren, die nach 5 bis 6 Wochen selbständig werden.

Eichhörnchen *Sciurus vulgaris*

Das Eichhörnchen stellen die Zoologen in eine andere Familie innerhalb der Ordnung der Nagetiere als Mäuse und Bilche, nämlich zu den Hörnchen *(Sciuridae)*, zu denen in der europäischen Fauna u. a. auch das Ziesel und das Murmeltier gehören. Das Eichhörnchen ist über ganz Europa und die nördlichen Teile Asiens bis nach Japan verbreitet. Interessant ist, daß es in England durch das dort ausgesetzte, aus Nordamerika stammende Grauhörnchen *(Neosciurus carolinensis)* stellenweise fast ganz verdrängt wird. Dieses Hörnchen ist in erster Linie kräftiger als das Eichhörnchen. Allgemein ökologisch betrachtet, muß man die Zusammenhänge so beurteilen: Beide Hörnchen haben eine ganz ähnliche Lebensweise, sie besetzen die gleiche ökologische Nische – wie man sagt – und müssen sich daher notwendigerweise Konkurrenz machen, Konkurrenz um Nahrung, um Raum etc. Auf die Dauer kann aber eine ökologische Nische nur von einer Art besetzt sein. Die Nische war bisher vom Eichhörnchen besetzt, dann wurde das kräftigere Grauhörnchen eingeführt. Dieselbe ökologische Nische war nun von zwei miteinander konkurrierenden Arten besetzt, und die schwächere Art – hier das Eichhörnchen – wurde verdrängt.

Das Eichhörnchen wird bis zu 30 cm lang, der buschige Schwanz bis zu 25 cm. Das Tier kommt typischerweise im Nadelwald vor, aber es fühlt sich auch in Misch- und reinen Laubwäldern wohl. Und es ist – wie viele andere Tierarten auch – mittlerweile in großen Parks anzutreffen, die auch mitten in den Städten liegen können. Es lebt überwiegend im Flach- und Hügelland, ist aber auch im Hochgebirge bis in etwa 2000 m Höhe anzutreffen. Das Eichhörnchen kann hervorragend an Bäumen stammauf und stammab klettern. Im Kronendach springt es geschickt von einem Baum zum nächsten. Es ernährt sich vorwiegend von Nüssen, Bucheckern, Beeren, Pilzen und Insekten.

Typisch sind die Baumnester, die von den Eichhörnchen aus Laub und Zweigen gebaut werden, meist in die Kronen von Nadel- oder Laubbäumen. Nach 5 Wochen Tragzeit werden dort 3 bis 7 Junge geworfen, die mit rund 2 Monaten selbständig werden. Die Tiere bekommen zweimal im Jahr Junge. Die Kobel – wie die Baumnester auch genannt werden – dienen den Eichhörnchen auch zur Überwinterung. Die Tiere halten aber keinen echten Winterschlaf.

Baummarder *Martes martes*

Der Baummarder gehört in eine andere Ordnung als die bisher vorgestellten Säugetiere, nämlich zu den Raubtieren *(Carnivora),* und hier wiederum zusammen mit dem Dachs, dem Hermelin und anderen Arten zu den Mardern *(Mustelidae).* Der Baummarder ist zwar annähernd über ganz Europa verbreitet (Ausnahmen: Iberische Halbinsel, Island, Großbritannien, Nordnorwegen, Finnland und Griechenland), aber er ist fast überall innerhalb dieses Gebietes selten geworden. Er ist an geschlossene Misch-und Nadelwälder gebunden und geht bis in rund 2000 m Höhe hinauf. Trifft man innerhalb von Städten einen Marder an, so handelt es sich um den nahe verwandten Steinmarder, der aber einen weißen, zweigeteilten Kehlfleck gegenüber dem geschlossenen, gelben des Baummarders aufweist. Baummarder sind überwiegend nachts tätig, bisweilen sieht man sie aber auch tagsüber. Ihre Nahrung besteht aus kleinen Säugetieren – vor allem Eichhörnchen –, Vögeln, Insekten und den Früchten verschiedener Pflanzenarten. Der Baummarder lebt in Baumhöhlen und zieht dort 3 bis 5 Junge pro Wurf auf.

Dachs *Meles meles*

Auch der Dachs gehört zu den marderartigen Raubtieren. Er ist ebenfalls über fast ganz Europa verbreitet, fehlt nur auf Island und in großen Teilen Skandinaviens. Sein bevorzugter Lebensraum sind Laub- und Mischwälder, die er vorwiegend in der Dämmerung und nachts durchstreift. Dachse sind Allesfresser. Tagsüber halten sich die rund 70 cm langen Tiere in Erdbauen verborgen, die sie oftmals zusammen mit dem Fuchs bewohnen. Neben ihrer Größe ist der schwarz-weiß-gestreifte Kopf ein sicheres Kennzeichen. Dachse werfen einmal im Jahr 3 bis 5 Junge, die nach etwa einem halben Jahr selbständig werden.

Rotfuchs *Vulpes vulpes*

Dieses wohl bekannteste einheimische Säugetier ist ebenfalls ein Raubtier, aber eines aus der Familie der Hundeartigen *(Canidae).* Die Kopf-Rumpf-Länge kann bis zu 80 cm betragen, hinzu kommen etwa 50 cm für den buschigen Schwanz. Der Rotfuchs ist über fast ganz Europa, große Teile Asiens und Nordamerikas und sogar in Australien (hier aber vom Menschen eingeführt) verbreitet. Seine Ansprüche an den Lebensraum sind nicht sehr groß. Auch er lebt in Erdbauten. Das Weibchen wirft 3 bis 5 Junge, die mit 3 bis 4 Wochen selbständig und mit 9 Monaten geschlechtsreif werden.

Reh *Capreolus capreolus*

Beim Reh haben wir es mit einem Angehörigen einer ganz anderen Säugetierordnung zu tun als bei den bisher behandelten Arten, nämlich mit den Paarhufern *(Artiodactyla),* zu denen auch die weiteren, in diesem Führer besprochenen Säugetiere gehören. Sicher ist das Reh jedem Naturfreund bekannt, denn trotz der Veränderungen in der Landschaft haben sich in Mitteleuropa größere Bestände halten können, von denen allerdings tagsüber kaum etwas zu bemerken ist. Rehe halten sich dann in Dickungen verborgen und gehen erst in der Dämmerung auf Nahrungssuche.

Das Reh kommt außer in Mitteleuropa noch in großen Teilen Spaniens, in Schottland, in Mittelnorwegen und -schweden und weiter in Teilen Asiens vor. Bei uns kann man Feldreh und Waldreh unterscheiden, je nach dem bevorzugten Lebensraum. Das eine lebt also in Gegenden mit vorherrschender niedriger Vegetation, wie Mooren, Heidegebieten, Wiesen- und Feldlandschaften, das andere in aufgelockertem Laub- und Mischwald. Rehe werden bis zu 1,35 m lang und bis etwa 30 kg schwer. Typisch ist die weiße Zone um den kurzen Wedel herum, der sogenannte Spiegel, und – bei dem männlichen Tier, dem Bock – das kurze Stangengeweih, das in der Jägersprache Gehörn genannt wird, obwohl es jedes Jahr abgeworfen wird. Es ist also eine andere Bildung als etwa das Gehörn einer Gemse, eines Steinbocks oder eines Mufflons! Das Geweih zeigt maximal 4 Enden je Stange; Sechserböcke (3 Enden je Stange) sind aber die Regel. Junge Böcke bilden nur gerade Stangen aus; man nennt sie deshalb Spießer. Im nächsten Jahr ist jede Stange einfach verzweigt, dann haben wir einen Gabler vor uns; und erst später wechseln sie zum Sechserbock.

Vom Herbst bis zum Frühling leben Rehe gesellig, in gemischten sogenannten Sprüngen, die sich zur Setzzeit hin auflösen. Im Mai kommen 1 bis 3 Junge je Ricke – so nennt man das weibliche Tier – zur Welt. Sie können sofort sehen und laufen, also schon bald nach der Geburt der Ricke folgen. Die Kitze werden 3 Monate lang von der Ricke gesäugt. Danach bleiben sie noch lange mit ihr zusammen und werden erst mit etwa einem Jahr selbständig.

Besonders interessant ist das Verhalten der Rehe während der Paarungszeit, der Blattzeit, wie der Jäger sagt. Dann sind die Tiere auch tagsüber sehr aktiv. Der Bock sucht die weiblichen Tiere und treibt sie längere Zeit, bevor es zur Begattung kommt.

Rehe können etwa 15 Jahre alt werden.

Rothirsch *Cervus elaphus*

Rotwild ist in großen Teilen Europas und Asiens verbreitet, kommt daneben aber auch in Nord- und Südamerika vor und wurde von Jägern in Australien und Neuseeland eingeführt. Schaut man allerdings auf eine Verbreitungskarte, die Europa zeigt, so liegen die Rotwildvorkommen inselartig verteilt. Das liegt ganz einfach daran, daß diese Hirschart große, zusammenhängende Wälder braucht. Demzufolge liegen gute Rotwildreviere z. B. in den Alpen, im Schwarzwald, im Harz und in ähnlich großen Waldgebieten, die es inmitten unserer weitgehend kultivierten Landschaft noch gibt.
Auch das Rotwild ist heute fast ausschließlich in der Dämmerung und in der Nacht aktiv; tagsüber bezieht es in Dickungen seinen Einstand. Außerhalb der Brunftzeit, die in der zweiten September- und ersten Oktoberhälfte liegt, halten sich die Geschlechter voneinander getrennt. Erst im Frühherbst kommen die Brunftrudel zusammen. Die Rotwildbrunft zu erleben, gehört sicher zum Eindrucksvollsten, was man in unseren Wäldern erleben kann, vor allem, wenn man das Glück hat, zwei Hirsche um die Vorherrschaft im Rudel kämpfen zu sehen.
Die weiblichen Tiere setzen im Mai/Juni je 1 Kitz, das 9 Monate lang gesäugt wird. Rothirsche können bis zu 20 Jahre alt werden. Auch der Rothirsch wirft das Geweih jedes Jahr ab und bildet im darauffolgenden Jahr ein neues. Je nach Ernährung und Alter der Hirsche können die Geweihe eine beträchtliche Endenzahl und Größe erreichen.

Damhirsch *Dama dama*

Damhirsche ähneln dem Rothirsch in ihrer Gestalt, sind aber kleiner und außerdem durch die hellen Flecken auf dem Rücken und den Seiten leicht vom Rothirsch zu unterscheiden. Auffällig ist der bis zu 20 cm lange Schwanz. Damwild war ursprünglich im Mittelmeergebiet verbreitet, wurde aber schon in geschichtlicher Zeit nördlich der Alpen ausgesetzt und kommt heute inselartig über ganz Europa verstreut vor. Sein bevorzugter Lebensraum sind Mischwälder mit reichlichem Unterwuchs. Vielfach findet man die Tiere auch in großen Parks, die einen ähnlichen Bewuchs aufweisen.
Damhirsche werden bis zu 125 kg schwer; ihr Geweih kann ebenfalls eine stattliche Größe erreichen. Typisch für das Damwild ist die Schaufelbildung, die etwa beim 3. Geweih einsetzt. Im Mai/Juni setzen die weiblichen Tiere je 1 Kitz, das 8 Monate lang gesäugt wird. Damhirsche werden rund 10 Jahre alt.

Mufflon *Ovis musimon*

Das Mufflon kam nach der letzten Eiszeit nur noch auf Korsika und Sardinien vor. Von diesen beiden Inseln aus wurde es jedoch ab Ende des vorigen Jahrhunderts in ganz Europa ausgesetzt. Solche Einbürgerungen waren in dieser Zeit große Mode, aber letztlich wird doch das Bild der jeweils einheimischen Fauna verfälscht, von der Gefahr, Krankheiten einzuschleppen oder heimischen Arten Konkurrenz zu machen (siehe Eichhörnchen – Grauhörnchen) einmal abgesehen. Seither ist man in dieser Hinsicht auch viel vorsichtiger geworden. Das Mufflon ist heute in Mitteleuropa in Laub- und Mischwäldern der Mittelgebirgslagen heimisch geworden. Beide Geschlechter tragen Hörner; für den Widder sind die schneckenförmigen Hörner typisch. Daneben trägt er auf dem Rücken meist noch einen hellen Sattelfleck. Beim weiblichen Tier – dem Muffelschaf – sind die Hörner kurz und schmal und lediglich leicht nach rückwärts gebogen. Manchmal tragen sie auch gar keine Hörner. Mufflons sind tagsüber und nachts aktiv. Man hat also auf einem Waldspaziergang eher Gelegenheit, Mufflons zu beobachten als Rothirsche und Rehe. Und die Tiere leben gesellig. Die Brunftzeit liegt im Oktober/November. Nach einer Tragzeit von etwa 6 Monaten setzen die Schafe im März/April je 1 oder 2 Lämmer, die im Alter von 6 Monaten selbständig werden. Mufflons werden 12 bis 15 Jahre alt.

Wildschwein *Sus scrofa*

Fast ein Weltbürger ist das Wildschwein heute, nachdem es auch in Nord- und Südamerika und in Australien eingeführt wurde. Sein eigentliches Verbreitungsgebiet erstreckt sich über große Teile Europas (Ausnahmen sind Großbritannien, Skandinavien, Island und Teile des Balkans) und das mittlere und südliche Asien. Sein Lebensraum sind Laub- und Mischwälder. Diese sollten genügend Deckung bieten und sumpfige Stellen aufweisen. Wildschweine suhlen sich gerne im Schlamm, um lästige Plagegeister auf der Haut loszuwerden. Starke männliche Tiere – Keiler genannt – werden bis zu 1,80 m lang und 350 kg schwer. Für kapitale Keiler sind die Hauer, die kräftigen Eckzähne, typisch. Wildschweine leben fast immer in Trupps, Rotten genannt. Außerhalb der Rauschzeit – so wird die Brunftzeit der Wildschweine in der Jägersprache bezeichnet – leben die weiblichen Tiere – die Bachen – mit den Jungtieren – den Frischlingen, später Überläufern – zusammen. Die Jungkeiler bilden eigene Rotten. Alte Keiler sind meist Einzelgänger. – Nach einer Tragzeit von rund 4 Monaten setzen die Bachen 4 bis 12 längsgestreifte Frischlinge. Wildschweine werden bis zu 25 Jahre alt.

Register

Deutsche Namen

Wissenschaftliche Namen